Pour ANNE,

ce bouquet d'heureux sortilèges
nés de la sensualité gourmande
de Colette, notre "bonne sorcière"...
Avec toute notre complicité.

Jane. Christine et Didier

IX. 99

Colette
GOURMANDE

—

par Marie-Christine et
Didier Clément

photographies André Martin

—

stylisme Sylvie Binet
direction artistique Marc Walter
maquette Sophie Zagradsky

Albin Michel

GOURMANDES
PROVINCES

«Elle est un produit de la plus pure terre française, française jusqu'au bout des ongles, provinciale avant tout. Elle aimait changer de logis, mais pour y reconstituer aussitôt un nid et une province. Provinciale par l'art de vivre, les recettes ménagères, les armoires rangées, les provisions, par les heures ponctuelles, par les dictons, par le buis, le muguet, la galette des rois, le vin chaud, le feu de bois, les châtaignes, les longues cuissons sous la cendre.»
MAURICE GOUDEKET, PRÈS DE COLETTE, 1956.

«Ne l'eussé-je pas tenu d'elle, qu'elle m'eût donné, je crois, l'amour de la province, si par province on n'entend pas seulement un lieu, une région éloignés de la capitale, mais un esprit de caste, une pureté obligatoire de mœurs, l'orgueil d'habiter une demeure ancienne, honorée, close de partout, mais que l'on peut ouvrir à tout moment sur ses degrés aérés, son fenil empli, ses maîtres façonnés à l'usage et à la dignité de leur maison.»
SIDO, 1929.

PAGES PRÉCÉDENTES : PAGES DE GARDE : LA ROBE BLEUE BRODÉE
DE BLANC DE SIDO, CONSERVÉE PIEUSEMENT PAR COLETTE, DONT MAURICE
GOUDEKET FIT RELIER LE MANUSCRIT DE *SIDO.* COLETTE DÉCRIT SA
MÈRE DANS *BELLES SAISONS* COMME «UNE FEMME DE PETITE TAILLE, RONDE
ET VIVE» QUI PORTAIT DANS SA ROBE DE LAINE L'ODEUR
DU FEU DE BOIS, DE LA HAIE DE CHRYSANTHÈMES ET DU PAIN CHAUD...».
PAGES 2-3 : SOUS-BOIS PROFONDS DE FLEURS BLEUES
«QUI MOUTONNENT ET ONDULENT JUSQUE LÀ-BAS, AUSSI LOIN
QU'ON PEUT VOIR...».
PAGES 6-7 : LA CRINIÈRE VÉGÉTALE
DE VIGNE ET DE GLYCINE DE LA TREILLE MUSCATE.
PAGES 10-11 : L'ÉTANG DE MOUTIERS ET SES
«JONCS RIVERAINS» À L'ODEUR DE MENTHE GRISE EXALTÉE
PAR LA CHALEUR AUTOMNALE.

SAINT-SAUVEUR EN-PUISAYE

1873-1891

SIDO OU LE «DOMAINE NOURRICIER» . Colette naquit en 1873 à Saint-Sauveur-en-Puisaye, petit village de l'Yonne aux «maisons qui dégringolent, depuis le haut de la colline jusqu'en bas de la vallée», situé sur la route menant d'Auxerre à Cosne-sur-Loire, en Bourgogne pauvre. Dès l'aube, Sido, sa mère, qu'elle avouera n'avoir «jamais assez ni assez bien aimée» est dans la cuisine. Le feu «flamme» déjà, nourri de fagot sec, et sur le fourneau à braise «pavé de faïence bleue», fond «dans un doigt d'eau» une tablette de chocolat qu'elle tourne pensivement pour sa petite dernière, «Minet-Chéri». Sido, née Sidonie Landoy (1835-1912) est la veuve du hobereau Jules Robineau, dénommé «le Sau-

vage», dont elle héritera de cette maison «grande, coiffée d'un grenier haut» où dans les communs on «barattait le beurre et pressait les fromages». Il laissera à son épouse quelques souvenirs pour le moins hétéroclites : une argenterie curieuse «timbrée d'une chèvre debout sur ses sabots de derrière», un châle en cachemire des Indes, un petit mortier en marbre de Lumachelle, une cave bien garnie... et deux enfants : *«Ma mère fleurait la cretonne lavée, le fer à repasser chauffé sur la braise de peuplier, la feuille de verveine-citronnelle qu'elle roulait dans ses mains ou froissait dans sa poche. Au soir tombant, je croyais qu'elle exhalait la senteur des laitues arrosées, car la fraîche senteur se levait sur ses pas, au bruit perlé de la pluie d'arrosage, dans une gloire de poudre d'eau et de poussière arable»* (La Maison de Claudine, 1922). Moins d'un an après la mort de son premier époux, Sido se remarie mais fait, cette fois, un véritable mariage d'amour en s'unissant au capitaine Jules Colette (1829-1905), zouave, héros de la guerre de Crimée et d'Italie où il laissera une de ses jambes. De cette union scellée d'un amour tendre et discret s'éveillera après un frère aîné, Léo, la petite Colette, le «Joyau-tout-en-or».

PAGE DE GAUCHE : COLETTE AU COURS DE SES COURSES FOLLES FAISAIT SIFFLER SES LONGUES TRESSES
D'ADOLESCENTE COMME LES MÈCHES D'UN FOUET.
CI-DESSOUS : LA FAÇADE AU PERRON BOITEUX DE SA MAISON NATALE.

CI-DESSUS : LA MÈRE DE COLETTE, SIDO, A DIX-HUIT ANS.
PAGE DE DROITE : PORTRAIT DE SON PÈRE, LE CAPITAINE, AVEC
SES DÉCORATIONS.

des tomates crues « avec beaucoup de poivre », l'aîné, Achille, pour des « choux rouges au vinaigre », Léo, le second, pour un « grand bol de chocolat » et la petite dernière, Colette, pour « des pommes de terre frites » et « des noix avec du fromage ». « Mais il paraît que frites, chocolat, tomates et choux rouge ne "font pas un dîner"... » Alors Sido court jusqu'à la boucherie de Léonore où pendent telles de « saines friandises » les quartiers de viandes et la maison s'emplit d'effluves qui montent de la cuisine. Oubliée au coin du feu mijote une épaule de mouton en musette ; une rouelle de veau aux carottes et aux girolles délivre, étouffée, tous ses sucs, dans une noire cocotte en fonte ; une marmelade de pommes doucement se caramélise dans un plat en terre... « *Tout est mystère, magie, sortilège, tout ce qui s'accomplit entre le moment de poser sur le feu la cocotte, le coquemar, la marmite et leur contenu, et le moment plein de douce anxiété, de voluptueux espoir, où vous décoiffez sur la table le plat fumant* » (*Prisons et paradis*, 1932).

Les jours de fêtes de fin d'année ne connaissaient pas dans les provinces françaises d'autrefois de « fastueuses bombances » mais étaient plutôt consacrés au recueillement. Toute la famille Colette se rassemblait le soir de Noël dans le salon fané, les chiens couchés devant l'âtre, la chatte lovée sur la table ; seul le bruit des pages tournées, des journaux froissés et des « pets de feu » venaient troubler le silence. Toute la maisonnée s'ensommeillait comme sous l'effet d'une baguette magique. Mais, quand, sur la cheminée veinée de noir, la pendule de marbre blanc encadrée de deux bouquets de houx aux lumineuses boules rouges marquait minuit, on poussait de côté le jeu de jacquet, les dominos roussis et les livres à tranche d'or pour faire place au « chef-d'œuvre de Sido », un pudding blanc clouté de raisins et arrosé d'une sauce brûlante au rhum accompagné d'un verre de vieux frontignan décoloré ou d'une tasse de thé de Chine, permis ce seul soir, car il tenait les enfants éveillés jusqu'au petit matin. Colette ne vécut jamais de meilleurs Noëls et essaya ensuite d'imiter cette veille où la méditation faisait place à la gourmandise. De même, les étrennes du Jour de l'An n'apportaient que de simples présents : une douzaine d'oranges, une poignée de dattes, fruits exotiques gorgés des soleils lointains, pieux cadeaux reçus après la cérémonie de cette première matinée de l'année, la distribution de pains aux pauvres où, quand le défilé languissait, la petite Colette se retournait et léchait la farine des grosses miches rondes à croûte brune qui s'amoncelaient en vertigineuses piles jusqu'au plafond.

En dehors de ces fêtes religieuses, les autres célébrations familiales de l'année qui rassemblent tout le village pour une noce, un baptême ou une communion sont prétexte à

La maison « sonore, sèche, craquante comme un pain chaud » fournit aux enfants maints recoins où se tapir : les fauteuils profonds de reps vert, la minuscule chambre au-dessus de la porte cochère, la buanderie, la laiterie blotties en contrebas ou le grenier où sèchent sur un drap étalé, en prévision des tisanes de l'hiver, les boutons de violettes et les fleurs de tilleul qui mêlent à la poussière leurs suaves parfums. Sido, prévoyante, avoue craindre que « les bêtes et les enfants aient faim », aussi veille-t-elle avec scrupule à bien nourrir son petit monde rêveur et vagabond qui, sans elle, saurait se contenter d'une certaine frugalité. Sa fille l'immortalisa sous ce trait et la décrit « balayée d'ombre et de lumière, parée d'enfants, de fleurs et d'animaux, comme un domaine nourricier ». « *"Où sont les enfants ?" Elle surgissait, essoufflée par sa quête constante de mère-chienne trop tendre, tête levée et flairant le vent. Ses bras emmanchés de toile blanche disaient qu'elle venait de pétrir la pâte à galette, ou le pudding saucé d'un brûlant velours de rhum et de confitures* » (*La Maison de Claudine*, 1922). Interrogés tour à tour sur leurs désirs pour le dîner, les membres de la famille laissent parler leur gourmandise : le méridional capitaine pencherait pour

d'opulents banquets. La petite Colette raffole de ces longues agapes pantagruéliques où elle s'endort à même la table, comblée et repue. Ces excès alimentaires, ces «infractions» permettent de mieux aborder ensuite la quotidienne frugalité. Là s'échangent, de bouche à oreille, de mystérieuses confidences : les secrets des recettes de cuisine. C'est ainsi que Sido apprendra à réaliser la «boule de poulet».

«LE JARDIN D'EN HAUT ET LE JARDIN D'EN BAS.» Le jardin est le royaume des enfants, à la fois lieu d'intimité où ils peuvent cacher leurs jeux et leurs lectures mais aussi lieu de découvertes gourmandes. Perchée à la fourche du noyer qui ombrage la petite cuisine engoncée, seul le visage triangulaire de la jeune enfant qui écale des noix «avec un bruit d'écureuil» brille au milieu du feuillage. On la retrouve aussi «longue et rétrécie sur le faîte d'un mur», couchée, à l'affût

L'ESCALIER DE PIERRE MENANT DU «JARDIN DU HAUT» AU «JARDIN DU BAS».
PAGES PRÉCÉDENTES : DANS LE JARDIN, SIDO ET LE CAPITAINE
JOUENT AUX DOMINOS TOUT EN BUVANT UN CAFÉ «SOURDEMENT DORÉ
COMME UN BEL ŒIL SOMBRE».

des prunes du voisin, ou encore, «à plat ventre, sous le grand sapin», un vieux Balzac étalé entre ses coudes en train de déguster des pêches âpres, attentive à Miton, au sud, qui éternue tout en bêchant et parle à son chien blanc dont il teint, «au 14 juillet, la tête en bleu et l'arrière-train en rouge», à la grêle et triste sonnette du notaire, à l'est, ou, au nord, à la Mère Adolphe qui chante «un petit cantique en bottelant des violettes». «Que me parle-t-on de la méfiance provinciale? Belle méfiance! Nos jardins se disaient tout.»

Le potager, jardin «du Bas», enserré dans son enclos de pierres chauffées au soleil favorise l'éclosion de multiples trésors végétaux : «une planche de carottes», «quelques beaux rangs de laitues», consciencieusement alignés au cordeau par Sido, l'estragon, l'oseille placée en bordure avec le lys blanc, dont le potager est la vraie «terre d'élection», voisinent avec des produits plus surprenants pour la région, à cette époque : aubergine, tomate, ail violacé et piment,

apprivoisés en Bourgogne dans cet endroit propice par le capitaine d'origine toulonnaise. Le jardin de Saint-Sauveur fait aussi place aux vieux arbres fruitiers noueux, comme «les sorbiers, grappés de fruits verts qui tournent çà et là au rose aigre», un poirier Messire-Jean aux fruits «flogres» dès que mûrs, régal des abeilles, ou aussi, l'été, aux reines-claudes, «vertes hier sous leur poudre d'argent» et qui en une journée attrapent «une joue d'ambre», aux «abricots chauds», aux pêches âpres, aux cerises dont un merle boit le jus et déchiquette la chair rosée sous le regard indulgent, «couleur de pluie», de Sido. Dans ce jardin d'Eden aux fruits désirables tout au long de l'année, que ce soit dans leur verdeur ou leur maturité, l'injonction de Sido : «Regarde!» se complète d'un élan instinctif des enfants vers la terre dont ils épient, bien sûr, tous les miracles quotidiens à la suite de leur mère mais dont ils goûtent également sans exception tous les produits avec une égale avidité qui les porte aussi bien aux fruits les plus mûrs qu'aux «cœurs de salade dérobés au potager», à «la carotte nouvelle un peu crottée de terre», au «petit pois en sa jeunesse sucrée», ou à «la fève au sortir de la cosse...».

DES CHATS ET UNE ARAIGNÉE. Les animaux familiers de Colette sont gagnés par un certain mimétisme et succombent pour la plupart au même péché de gourmandise que leur maîtresse. «Trop végétarien pour un chat», Babou, «ce Satan noir», choisissait «en gourmet» les fraises les plus mûres, croquait les tendres pointes des jeunes asperges et savait ouvrir l'écorce «jaspée de sombre et de clair comme la peau des salamandres, du melon dit noir-des-Carmes, qu'il préférait au cantaloup». «C'est le même qui respirait, poétique, absorbé, des violettes épanouies.» Nonoche, la chatte «futile, rêveuse, passionnée, gourmande, caressante, autoritaire» qui «rebute le profane et se donne aux seuls initiés qu'a marqués le signe du Chat» laissait échapper un miaulement de convoitise quand sonnaient les clarines car le vent portait à son nez délicat l'odeur du lait dont elle irait bientôt lécher sur le bord du seau «la couronne d'écume collée». D'autres chats de Colette prisaient «l'huître, l'escargot et la palourde» ainsi que les croissants d'oignon cru, «pourvu qu'ils fussent taillés dans les oignons sucrés du Midi». Mais la plus merveilleuse de ces bêtes familières était l'araignée de Sido qui, logée dans le plafond de sa chambre, descendait, toutes les nuits, «lente, balancée mollement comme une grosse perle», jusqu'au bol de chocolat crémeux, «empoignait de ses huit pattes le bord de la tasse, se penchait tête première, et buvait jusqu'à satiété». «Que tout était féerique et simple, parmi cette faune de la maison natale...»

DES BOUQUETS DE FLEURS DE CAMOMILLE SÈCHENT DANS LE GRENIER
EN PRÉVISION DES TISANES D'HIVER.

LES SAVEURS DE LA TERRE. Sido et Colette se sont partagé leurs domaines d'influence et ont passé ensemble une sorte de pacte : la mère veille sur la famille, la maison et le jardin mais il est entendu que la campagne est le fief, le « domaine incontrôlable » de Colette. Sa liberté dépend d'une escalade facile — « une grille, un mur, un "toiton incliné" » — et les ruelles pentues de Saint-Sauveur, prolongées sous leur visage campagnard par les chemins du Petit Saint-Jean ou de la rue Sale vers Moutiers, la déversent en quelques minutes au milieu d'une nature déserte et familière. Toute petite, elle suivait en courant ses frères « lancés dans les bois à la poursuite du Grand Sylvain, du Flambé, du Mars farouche, ou chassant la couleuvre, ou bottelant la haut digitale de juillet au fond des bois clairsemés, rougis de flaques de bruyères ». Ils l'initièrent aux noms des plantes et lui communiquèrent leur fascination pour le nom latin et la botanique. Quatre sœurs paysannes, élues comme amies, lui apprirent comment on fait des sifflets d'herbe, des crécelles avec une demi-coquille de noix, les noms des oiseaux et des champignons : « Je leur dois le meilleur de mon enfance », conviendra Colette en 1939. Tout au long de sa vie, elle glorifiera cette nature désertée par l'homme, proche d'un paradis primitif dont elle est l'unique habitante : ces bois « qui sentent la fraise et la rose », ce sentier enchanté, « jaune et bordé de digitales d'un rose brûlant », « qui mène hors de la vie », ces étangs comme des clairières dans leur écrin de verdure, les marais, les prairies gorgées d'eau et proclame : « *Vous n'imaginez pas quelle Reine de la Terre j'étais à douze ans* », et : « *Qui eût décidé, sinon moi, que la prunelle, la fraise sauvage, la noisette étaient mûres ? Qui tenait secrets, sinon moi, les gîtes préférés du muguet, des narcisses blancs, des écureuils ?* » (*Les Vrilles de la vigne*, 1908 et *Journal à rebours*, 1941).

LES « BRAS INVINCIBLES » DE LA GLYCINE CENTENAIRE ONT DESCELLÉ LA GRILLE DE CLÔTURE DU JARDIN.

NOCES CAMPAGNARDES

Une longue table, fleurie de petits bouquets — roses rouges et camomilles blanches — serrés en choux-pommes. Aux murs, des draps épinglés de laurier vert, comme pour la Fête-Dieu... Au-dessus, les poutres du fenil laissent pendre des voiles d'araignée et des houppes de foin sec... Par la porte charretière, ouverte sur la cour, entrent ensemble la grande lumière bleue et crue, le cri des coqs, les poules inquiètes qu'on chasse d'un coup de serviette, et qui reviennent...

J'avais dix, douze ans, des cheveux châtains en tire-bouchons, la voix d'un jeune garçon et une gravité bougonne, un air d'avoir envie de m'en aller. Pourtant je ne m'ennuyais pas. J'aimais le pain bis chaud sous son velours de farine, l'odeur neuve des blouses bleues ballonnées, les petits bouquets joyeux en choux... J'aimais la «jeune mariée» ronde et brûlée, noire dans son blanc, ses mains nues sur son ventre comme deux gros gants tannés... J'aimais les verres sans pattes, épais aux lèvres, et, bourdonnants de mouches, les sucriers nombreux qui jalonnaient la table... Pour le café, ce sucre? Mais non, bête, pour le vin rouge. C'est vrai, vous ne savez pas. Dans les repas de noces, dès la soupe avalée, on remplit son verre avec du vin rouge. Délicatement, du bout de deux doigts, on y trempe

un morceau de sucre qu'on suce ensuite, qu'on retrempe, qu'on resuce, jusqu'à ce qu'il s'effrite en bouillie sirupeuse. Alors, on prend un autre morceau de sucre et on recommence. Ça occupe le temps vous comprenez, entre la soupe et le lapin sauté, entre le lapin sauté et le veau aux girolles, entre le veau aux girolles et le poulet rôti... Les enfants, les femmes surtout, pillent les sucriers, s'enivrent tout doucement; on entr'ouvre son corsage, on dénoue les brides du bonnet tuyauté en disant : « C'est la chaleur qui me remonte... »

Après la tarte à la citrouille, après le fromage mou, après le château de nougat fracassé et les dragées, — un peu prématurées, les dragées, — un silence solennel descendait du fenil sur l'assemblée. Trois gobettes de quinze à dix-huit ans, couleur de brique rose dans leurs corsages clairs, se prenaient par la main et s'en venaient devant la mariée. Accordant avec peine leurs voix plaintives de fileuses, elles entamaient la longue, triste et jolie Chanson de la mariée.

D'ailleurs, à cette heure-là, lasse de chaleur et de sucre sucé, je m'endormais sur la table, la tête entre mes bras repliés...

C., «LES VRILLES DE LA VIGNE» in *Le Mercure musical*, 15 JUILLET 1905.

HABITUÉS À DÉJEUNER QUOTIDIENNEMENT AU CREUX DU SILLON,
LES PAYSANS DE LA PUISAYE PRÉFÈRENT DRESSER LEUR LONGUE TABLE
DE NOCES DANS UNE GRANGE PLUTÔT QU'EN PLEIN AIR
CAR «ILS TROUVENT QUE CE N'EST PAS DISTINGUÉ».

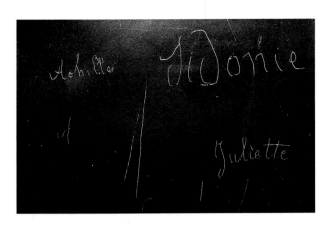

Colette passe des journées entières à «trôler», mot du patois poyaudin qui signifie «vagabonder» et qu'elle emploie couramment pour désigner ses longues courses solitaires. Avant de s'échapper, elle emporte de quoi se restaurer et «fourre fébrilement dans un petit panier le croûton d'une miche cassée, des pommes de moisson, une cuisse de poulet» chipé au plat dressé ou bien allume un feu, même en été, sous les sapins, «parce que c'est défendu», pour y cuire «une pomme, une poire, une pomme de terre volée dans un champ, du pain bis faute d'autre chose; ça sent la fumée amère et la résine, c'est abominable, c'est exquis». «*Affamée, la pensée endormie, je mange comme un bûcheron, mon panier au creux des genoux. Jouissance pleine de se sentir une brute vivace, accessible seulement à la saveur du pain qui craque, de la pomme juteuse! Le doux paysage éveille en moi une sensualité presque semblable au ravissement de la faim que j'assouvis : ces bois égaux et sombres sentent la pomme, ce pain frais est gai comme le toit de tuile rose qui les troue...*» (*Claudine en ménage*, 1902).

Colette revient de ces journées des bouquets de fleurs et d'herbes sauvages plein les bras, les poches de son tablier débordent de faines, ces petites noisettes triangulaires du hêtre, une poignée de girolles se cache dans son grand mouchoir à carreaux qui fait office de panier : toute sa petite personne exhale l'ail sauvage d'un ravin lointain ou la menthe des marais. Sido l'inspecte à chaque retour avec de rituels froncements de sourcils et n'arrive pas à comprendre pourquoi sa fille n'a jamais faim au retour de ses expéditions... Elle s'est, en fait, rassasiée tout au long de son vagabondage de merises amères, de groseilles à maquereau ou de mousserons crus, autant de trésors «à portée de main» que la campagne livre à qui sait les reconnaître. Une saison est particulièrement propice à ces cueillettes variées; c'est

l'automne, généreux, prodigue, toujours considéré par Colette comme un «renouveau rougeoyant» et non comme un déclin, conception originale qui lui valut une mauvaise note lors d'une rédaction enfantine car son institutrice ne devait pas connaître comme elle toutes les saveurs de la terre automnale aux nombreux «dons sauvages» et «bénis»... «*Le feu, le vin, les ciels rouges et venteux, la chair des fruits, les capiteux gibiers, les tonneaux, les sphères pulpeuses, roulent devant lui. Bogues de châtaignes, nèfles blettes, cormes roses, alises aigrelettes, l'automne chasse devant ses pas une profusion de fruits modestes que l'on ne cueille pas, mais qui tombent dans la main, qui attendent avec patience au pied de l'arbre que l'homme daigne les ramasser*» (*Journal à rebours*, 1941).

Aux veillées, assise en rond au centre de la cuisine «constellée de cuivres roses», elle enfile des champignons coupés en rondelles le long d'une cordelette pour les sécher, casse les coques des noix ou des noisettes pour la fabrication de l'huile, dévide des écheveaux de chanvre ou, «une corbeille au creux des genoux», égrène des «alises flétries», «pique et presse des nèfles flasques» «qui sentent le cellier», le «flogre», mot du patois poyaudin synonyme de «blet». Certains personnages, rares, sont les intermédiaires entre cette nature encore sauvage et les villageois. Frisepoulet, «sylvain majestueux dont la chevelure et la barbe de lin blanc servaient l'éclat noir d'un regard sorcier» est l'unique crieur de cornuelles. Ces châtaignes d'eau réclament, pour leur récolte, «un bachot plat, une godille, une vieille culotte» et «l'habitude de patauger en eau froide» et sont ensuite vendues quatre sous pour cent quatre cornuelles. Avec lui apparaissent aussi les premiers marrons et l'on sait alors qu'il est temps d'aller ramasser les prunelles bleues, gelées, qui viendront aromatiser la liqueur faite à la maison. «Le bon Dieu», petit homme

L'EAU DE LA FONTAINE DU LAVOIR SAINT-JEAN A UNE «SUBTILE SAVEUR DE NEIGE...».

qui raccommode les parapluies sous un escalier, autre «personnage d'almanach», n'a pas son pareil pour affiner les fromages de la Puisaye. «*Cuite, recuite, rougie vingt fois, remuée à la pincette, vannée à la pelle, la cendre ne quittait l'âtre, dans le pays de mon enfance, que pour descendre à la cave sèche et servir de linceul aux fromages, les fromages plats et minces de l'Yonne et du Loiret, qui y passaient deux mois, trois, parfois six mois. Ils en sortaient comme d'une catastrophe pompéienne, quasi pétrifiés. Mais leur pulpe était devenue de cire transparente, jaune, d'une homogénéité singulière, et d'un goût ami du vin rouge, de la noix d'hiver et de la salade de pissenlit*» (*Prisons et paradis*, 1932).

La campagne poyaudine regorge de sources inutiles, «perdues sitôt que nées» qui surgissent à petit flot dans une «froide ébullition» et un «éclat de diamant blanc». La petite Colette, comme l'oiseau ou le renard, les connaît et s'y désaltère. Et lorsque quelques années plus tard, elle sera sollicitée pour écrire un texte sur une eau minérale pétillante, c'est, tout naturellement, le souvenir de ces eaux furtives, dont elle sait si bien analyser le goût, qui reviendra à sa mémoire... «*Je revenais à la cloche de la première messe. Mais pas avant d'avoir mangé mon saoul, pas avant d'avoir, dans les bois,* décrit un grand circuit de chien qui chasse seul, et goûté l'eau de deux sources perdues, que je révérais. L'une se haussait hors de la terre par une convulsion cristalline, une sorte de sanglot, et traçait elle-même son lit sableux. Elle se décourageait aussitôt née et replongeait sous la terre. L'autre source, presque invisible, froissait l'herbe comme un serpent, s'étalait secrète au centre d'un pré où des narcisses, fleuris en ronde, attestaient seuls sa présence. La première avait goût de feuille de chêne, la seconde de fer et de tige de jacinthe... Rien qu'à parler d'elles je souhaite que leur saveur m'emplisse la bouche au moment de tout finir, et que j'emporte, avec moi, cette gorgée imaginaire...*» (*Sido*, 1929).

Mais si «l'eau c'est pour la soif», «le vin c'est, selon sa qualité et son terroir, un tonique nécessaire, un luxe, l'honneur des mets». Le père de Colette, le capitaine, commença dans ce sens son éducation en lui faisant goûter, selon une logique innée de l'éducation du goût qui va du plus doux au plus tannique, un vin doux naturel, «un plein verre à liqueur d'un vin mordoré, envoyé de son Midi natal : le muscat de Frontignan»... dès l'âge de trois ans! «*Coup de soleil, choc voluptueux, illumination des papilles neuves! Ce sacre me rendit à jamais digne du vin*» (*Prisons et paradis*, 1932). Puis

L'EAU PERRIER

Il est moins pénible de boire un verre de vin médiocre que d'avaler une gorgée d'eau fade. C'est à la qualité de l'eau que notre palais réserve ses délicatesses. Loi de m'ôter la subtilité qu'il faut pour apprécier les différents «crus» de l'eau, l'amour que j'ai pour le vin l'a développée.

Nous autres, amis du bon vin, nous savons boire l'eau saine en dehors des repas, et à grands verres. J'aime l'eau du réveil, l'eau d'après-midi, l'eau de minuit qui nous irrigue au sortir du théâtre ou du cinéma, l'eau des vacances, l'eau gaie des pique-nique sur la Côte provençale... Toutes ces eaux ne sont qu'une seule et même eau, bien froide, illuminée de bulles, si chargée de gaz naturel qu'elle humecte, durant qu'on la boit, les narines et les cils...

Du fond d'un grand gobelet bouillonnant montent les souvenirs avec l'effervescence. Mon petit pays d'autrefois, privé d'eau potable, buvait, l'été, l'eau obscure de ses citernes, souvent fétides. Pourtant, à cinq cents pas de là, coulait le trésor inutile des sources non captées, qui sous bois sortaient de terre avec un petit sanglot, se traçaient un lit, se perdaient, reparaissaient à la faveur de quelque usine pierreuse...

L'eau active que j'ai coutume de boire, je ne l'ai connue que bien plus tard. L'ayant goûtée, j'oubliai son nom, et je ne savais le lendemain comment la redemander.

— Enfin, garçon, vous savez bien ce que je veux dire... Une eau qui bondit quand on la débouche... Une eau qui rit. Une eau qui est dans la bouche comme une gorgée de champagne et une poignée d'aiguilles.

— Ah ! je vois, dit le garçon.

En effet, il ne se trompa pas, et m'apporta une bouteille d'Eau PERRIER.

PLAQUETTE PUBLICITAIRE POUR L'EAU DE PERRIER.

L'EAU SOURCEUSE, «FRÉMISSANTE À PETITES ONDES», «RAYÉE DE TIÈDE ET DE FROID» DE L'ÉTANG DE LA GUILLEMETTE.

COLETTE, «LE JOYAU-TOUT-EN-OR» À CINQ ANS.

cet homme généreux et idéaliste l'entraîne à sa suite dans ses campagnes électorales où adversaires et partisans se réconcilient inévitablement autour d'un vin d'honneur : « Une belle vie commençait pour moi. »

« — *Cette petite demoiselle va se réchauffer avec un doigt de vin chaud !*

Un doigt ? Le verre tendu, si le cafetier relevait trop tôt le pichet à bec, je savais commander : "Bord à bord !" et ajouter : "A la vôtre !" trinquer et lever le coude, et taper sur la table le fond de mon verre vide, et torcher d'un revers de main mes moustaches de petit bourgogne sucré, et dire, en poussant mon verre du côté du pichet : "Ça fait du bien par où ça passe !" Je connaissais les bonnes manières » (La Maison de Claudine, 1922).

À L'ÉCOLE DU GOÛT. Sido compléta cette éducation et, de sa onzième à sa quinzième année, lui fit boire, au goûter, de vieux crus prestigieux, reliquats de la cave de son premier mari, le Sauvage, conservés enterrés dans le sable sec de la cave depuis la vision du premier soldat prussien, en 1870. « *Ma mère craignait qu'en grandissant je ne prisse les "pâles couleurs". Une à une elle déterra, de leur sable sec, des bouteilles qui vieillissaient sous notre maison, dans une*

cave — elle est, Dieu merci, intacte — minée à même un bon granit. J'envie, quand j'y pense, la gamine privilégiée que je fus. Pour accompagner au retour de l'école mes en-cas modestes — côtelette, cuisse de poulet froid ou l'un de ces fromages durs, "passés" sous la cendre de bois et qu'on rompt en éclats, comme une vitre, d'un coup de poing — j'eus des Château-Larose, des Château-Lafite, des Chambertin et des Corton qui avaient échappé, en 70, aux "Prussiens". Certains vins défaillaient, pâlis et parfumés encore comme la rose morte ; ils reposaient sur une lie de tannin qui teignait la bouteille, mais la plupart gardaient leur ardeur distinguée, leur vertu roborative. Le bon temps !

J'ai tari le plus fin de la cave paternelle, godet à godet, délicatement... Ma mère rebouchait la bouteille entamée, et contemplait sur mes joues la gloire des crus français » (Prisons et paradis, 1932).

Tous ses goûters rustiques, véritables petits repas aux saveurs inattendues pour qui conçoit cette collation de l'après-midi comme exclusivement sucrée, forment, jour après jour, un palais qui s'aguerrit à toutes les sensations gustatives, aux goûts les plus directs, les plus simples, les plus purs, conséquents au bon sens, à l'économie locale et à la saison : « *Une tranche de pain bis, longue d'un pied, coupée à même la miche de douze livres, écorcée de sa croûte, et roulée, effritée comme semoule sur la table de bois gratté, puis noyée dans le lait frais ; un gros cornichon blanc macéré trois jours dans le vinaigre et un décimètre cube de lard rosé, sans maigre ; enfin un pichet de cidre dur, tiré à la "cannelle" du tonneau... Que vous semble de ce menu ? C'est celui d'un de mes goûters d'enfant. En voulez-vous un autre ?*

Un talon de pain chaud fariné, vidé de sa mie, tapissé intérieurement de beurre et de gelée à la framboise ; un demi-litre de lait caillé doux, bien tremblotant, bu au pot ; une jatte de fraises blanches.

LES LAITIÈRES DE LA FERME DU TOURAILLIER LIVRENT LE LAIT FRAIS ET BLEUTÉ.

CI-DESSUS : LA DISTRIBUTION DES
PRIX DE *CLAUDINE À L'ÉCOLE*
PRÉSIDÉE PAR LE Dr MERLOU,
DÉPUTÉ-MAIRE ET CONSEILLER
GÉNÉRAL.
COLETTE RACONTE COMMENT,
EN 1890, TOUT LE VILLAGE FUT MIS
« SENS DESSUS DESSOUS » POUR
L'INAUGURATION DE LA NOUVELLE
ÉCOLE. LES HABITANTS
RIVALISAIENT D'INVENTION POUR
LA DÉCORATION DE LEURS RUES
ET ILS DRESSÈRENT D'ÉPHÉMÈRES
ARCS DE TRIOMPHE AVEC DU
FEUILLAGE ET DES GUIRLANDES DE
PAPIER DE SOIE AUX COULEURS
TENDRES.
CI-CONTRE : L'ARC DE TRIOMPHE
D'INSPIRATION CHINOISE DRESSÉ
POUR CETTE OCCASION DEVANT
LA MAISON NATALE DE COLETTE,
À DROITE.

Troisième menu : une tranche de pain bis, longue d'un pied, etc. (voir ci-dessus), exhaussée d'un doigt de haricots rouges froids, figés dans leur sauce au vin rouge ; une petite panerée de groseilles à maquereau.

Quatrième menu, d'hiver et d'automne : les champignons, girolles, cômelles ou mousserons, ramassés dans les bois détrempés, et sautés au beurre pendant quelques minutes ; des châtaignes bouillies et une pomme. On peut remplacer les châtaignes par quelques bons "grillons" de cochon.

Un menu de goûter pour les mois de juillet et d'août vous agréera-t-il ? Voici : pain chaud (la croûte seulement) trempé par larges bouchées dans l'écume des confitures de fraises ; dans l'écume des confitures de cerises ; dans l'écume des confitures

PAGE DE DROITE : «ÉBLOUIE DE L'OMBRE BRUSQUE, JE DEVINAIS SUR LA TABLE LE PAIN DE QUATRE HEURES, LA MICHE ENCORE TIÈDE DONT JE ROMPAIS LA CROÛTE EMBAUMÉE POUR LA VIDER DE SA MIE MOLLE ET Y VERSER LA GELÉE DE FRAMBOISES...»
LA RETRAITE SENTIMENTALE, 1907.

d'abricots ; dans l'écume de toutes les confitures de tous les fruits de la saison !» (Prisons et paradis, 1932).

Tout au long de la journée, l'école lui a fourni d'autres gourmandises encore moins coutumières. L'hiver, entre les murs de neige non balayée, la petite Colette se réchauffe les doigts sur l'écorce de châtaignes bouillies. L'été, deux hirondelles remplacent les châtaignes dans les poches de son capuchon rouge et l'accompagnent puis retournent seules retrouver Sido pour la prévenir que son «Bijou-tout-en-or» est bien arrivé à l'école. Les fournitures scolaires elles-mêmes offrent un large éventail de saveurs inhabituelles, plus ou moins savoureuses selon les années, goûtées en priorité par «la

grande Anaïs» qui partage avec la jeune héroïne des *Claudine* sa provision de bourgeons verts de tilleul : «— Donnez-en un peu ?... Vrai, c'est très bon, c'est gommé comme du "coucou"*. J'en prendrai aux tilleuls de la cour. Et qu'est-ce que tu dévores encore d'inédit ?

— Heu ! rien d'étonnant. Je ne peux même plus manger de crayons Conté, ceux de cette année sont sableux, mauvais, de la camelote. En revanche, le papier buvard est excellent. Y a aussi une chose bonne à mâcher, mais pas à avaler, les échantillons de toile à mouchoirs qu'envoient le Bon Marché et Le Louvre.

— Pouah ! ça ne me dit rien...» (*Claudine à l'école,* 1900). (* Coucou : gomme des arbres fruitiers.)

Car Claudine-Colette, déjà gourmet, sélectionne avec soin la qualité de ces nourritures insolites : du papier à cigarettes, elle ne tolère que la marque «Le Nil» et n'extirpe de la jatte de pains à cacheter multicolores de son père que les blancs, ce qui ne l'empêche pas de les manger à poignées... Tandis que ses camarades d'école préfèrent plus communément les bonbons comme la jeune Luce qui, «pour dix sous de pastilles de menthe anglaise, trop poivrées», «vendrait sa grande sœur et encore un de ses frères par-dessus le marché»....

Ce goût de la découverte est général et aucune saveur n'arrête la jeune gourmande. Sa curiosité la mène, sans aucune exclusion des quatre saveurs primaires — le sucré, le salé, l'amer et l'acide —, aussi bien vers la pâte crue de la tarte que vers les vrilles cassantes et «tenaces», l'oseille fraîche, la gomme du bourgeon de tilleul et sa translucide sève ou l'amère brindille du saule qui à la fois «l'irritent» et la désaltèrent.

Colette magnifiera cette enfance, cette «libre et solitaire adolescence» tout entières occupées à engranger de nouvelles expériences sensorielles, à diriger ses «subtiles antennes vers ce qui se contemple, s'écoute, se palpe, se respire» et nous pouvons aisément ajouter comme nous venons de le voir cet autre moyen privilégié de connaissance : ce qui «se goûte» !

Un aliment peut symboliser cette période de la vie de Colette : la cornuelle. Toute sa vie durant elle restera fidèle à ces petites châtaignes d'eau ni bonnes ni mauvaises — «Je ne sais pas. Moi, j'aime bien ça...» — que déjà, en 1909, elle réclame avec insistance dans ses courriers à Sido. Tous ses proches connaissaient cette singulière préférence et savaient que les cadeaux qui pouvaient lui faire le plus plaisir étaient des châtaignes, des mousserons crus et... des cornuelles. Raymond Oliver interviendra auprès du grand chef de cuisine bourguignon Alexandre Dumaine pour lui en pro-

Onze mille quatre
en matinée dimanche.
Et 8600 le soir.
Le reste du temps,
quatre, trois, cinq.
C'est magnifique.
Simone faisait
huit cents. Labruyère
est enchanté. Moi
aussi. Mais on
vient de jouer
4 fois en deux
jours, ce n'est
donc pas

curer et, quelques jours avant sa mort, dans une dernière lettre à sa chère amie d'enfance, Claire, Colette lui réclamera encore des cornuelles...

La cornuelle est pour Colette comme la madeleine pour Proust. Elle symbolise sa région natale et son enfance, sa rareté ne fait qu'en augmenter le prix affectif. Son goût de tanche que d'autres ne peuvent comprendre est pour elle chargé des forces régénératrices les plus puissantes. En mangeant la petite amande des cornuelles, elle abolit le temps et embrasse tout à la fois sa jeunesse et les saveurs de sa région natale. Longtemps contenue, toute l'émotion de son souvenir débordera enfin dans une des ses plus belles pages, écrite à l'âge de soixante-seize ans dans *Le Fanal bleu*.

Colette, en fait, l'a reconnu elle-même : elle appartient à un pays qu'elle a quitté. D'autres provinces pourtant, d'autres expériences gourmandes l'attendent. Dans chacune, elle essaiera de se reconstituer une sorte de nid à l'aide de quelques objets choisis dans un seul et même esprit et, grâce à eux, dans chaque région explorée, elle essaiera de reconstituer des bribes de ce paradis de son enfance, à jamais perdu.

PAGE DE GAUCHE : LES PRÉCIEUSES CORNUELLES, «CHÂTAIGNES PIQUANTES ET CHATOUILLANTES» SUR UNE LETTRE DE PAPIER-DENTELLE.
CI-DESSOUS : COLETTE OUVRAIT LES CORIACES BOGUES DES «MACRES» À L'AIDE D'UN «BON COUTEAU TRAPU». ELLE USA AINSI LE BORD D'UNE MARCHE DE L'ESCALIER DE PIERRE DE SA MAISON NATALE.

LES MONTS-BOUCONS

1900-1905

LA GORGE RÉTRÉCIE. Le 15 mai 1893, Colette épouse le journaliste parisien Henry Gauthier-Villars, surnommé «Willy», de quatorze ans son aîné. Elle va désormais habiter Paris aux côtés de ce personnage célèbre et fantasque qui fréquente toute l'intelligentsia littéraire et musicale et l'introduit aussitôt dans les salons littéraires de la capitale. La griserie de la nouveauté d'une vie conjugale et parisienne passée, de grandes désillusions attendent la jeune épousée à qui un billet anonyme apprend, seulement dix mois après son mariage, l'infidélité de son mari. Tout s'écroule autour d'elle ; Sido, les recoins familiers du jardin, du grenier ou de la forêt ne sont plus là pour la consoler et son nouveau comportement face à la nourriture traduit avec beaucoup d'acuité ce malaise. Le premier repas de la journée, le petit déjeuner, se déroule désormais dans une ambiance impersonnelle, si différente de la chaleur maternelle du chocolat matinal mitonné par Sido : il lui faut désormais vers huit heures et demie, sortir de cet appartement «impudique», et «en dix minutes de trajet», atteindre «une crémerie, modeste entre toutes, où les emballeurs bleus de la Belle Jardinière se sustent[ent] comme nous d'un croissant trempé dans du chocolat mauve». *«Je trouvais naturel de vivre les poches vides, tout comme avant mon mariage. Je ne pensais pas non plus que j'eusse pu vivre mieux. Après le matinal chocolat lilas, je réintégrais mes noirs lambris, et je ne me rendais pas compte que j'y étiolais une vigoureuse fille élevée parmi l'abondance que la campagne consentait aux pauvres, le lait à vingt centimes le litre, les fruits et les légumes, le beurre à quatorze sous la livre, les œufs à vingt-six sous le quarteron, la noix et la châtaigne... A Paris, je n'avais pas faim»* (Mes Apprentissages, 1936).

Choquée, Colette se sent abandonnée, se calfeutre dans une chambre inhospitalière, perd l'appétit et tombe malade. Elle se réfugie dans des nourritures excessives, trop sucrées, trop salées, trop mûries, dans une alimentation complètement déséquilibrée où les sucreries et les noisettes remplacent la viande : «Déjeuner bref, en viandes roses pour mon mari, en horreurs diverses et sucrées pour moi.» *«L'abondance de bananes contribue d'ailleurs à me rendre la vie supportable. En les achetant mûres et les laissant pourrir un petit peu, les bananes c'est le bon Dieu en culotte de velours liberty! Fanchette trouve que ça sent mauvais»* (Claudine à Paris, 1901).

De nouveaux amis perçoivent son désarroi et viennent la consoler. Madame de Caillavet, la célèbre amie d'Anatole France vient poser sur son lit de malade, «dans une chambre où rien ne parlait de choix, de confort ni d'amour», quelques cadeaux propres à la réconforter : «Un ananas, des pêches, un grand fichu de foulard noué en sac à bonbons.» Marcel Schwob, qui l'a surnommée «Lolette», lui offre ses livres comme de véritables cadeaux gourmands, «pour qu'elle se figure manger un fromage de Sicile». Paul Masson, le mystificateur de la Bibliothèque nationale, «mélancolique commensal facétieux», passe de longs moments à ses côtés. Engourdie par la torpeur somnolente de la salamandre, la pâle Colette grignote des bonbons ou des noix salées et attend de ce nouvel ami dévoué qu'il lui arrache un rire. Quant à Sido, restée à Châtillon, Colette voudrait bien, au fond d'elle-même, lui confier son lourd secret mais la pudeur et la peur, peut-être, de rendre à son tour sa mère malheureuse, la retiennent et lui font masquer son chagrin sous de trompeurs cadeaux. Le cacao en barres de chez Hédiard, les fruits exotiques, le thé de Chine de chez Kitaï constituent les présents d'un douloureux mensonge : «l'imitation du bonheur».

SURSIS. «— Vous devriez jeter sur le papier des souvenirs de l'école primaire. N'ayez pas peur des détails piquants, je pourrais peut-être en tirer quelque chose... Les fonds sont bas.» Willy en s'adressant ainsi à Colette ne pouvait soupçonner qu'il faisait là l'action peut-être la plus importante

SOUS LES CINQ MARCHES DISJOINTES DE CE «LOGIS SANS ATOURS» MAIS «NON SANS GRÂCE», QUI ARBORE FIÈREMENT SON FRONTON DIRECTOIRE. «UN CRAPAUD CHANTE LE SOIR, D'UN GOSIER AMOUREUX ET PLEIN DE PERLES».

COLETTE ET WILLY À TABLE : DÉJÀ L'INDIFFÉRENCE...

de sa vie : susciter la vocation d'un grand écrivain. *Claudine à l'école* paraît en 1900 et le succès est aussi inattendu qu'immédiat. Pour parfaire le type créé par Colette, Willy, qui a le sens aigu de la publicité, crée le tandem provocateur des «twins» avec Polaire, sans soupçonner que ce double caricaturé de la jeune Colette puisse lui être à ce point opposé, même en ce qui concerne la nourriture, car, dénuée de toute subtilité, elle aimait, disait-elle «le fromage qui se tient mal et le vin qui n'a pas de goût». De ces premières années de mariage, Colette nous offre de tristes images : le regard baissé tel un petit animal battu et résigné. Elle s'affadit : Willy se sustente d'elle, lui soutire sa sève, sa jeunesse et son amour. Il convient enfin de lui accorder une récompense. «Surtout pour faire plaisir à Colette», comme il l'admettra plus tard, il achète en septembre 1901, avec les droits d'auteur des *Claudine*, une propriété dans le Jura, «les Monts-Boucons», située à quelques kilomètres de Besançon. La maison perchée sur une petite montagne se complète l'année suivante par l'acquisition de la ferme voisine : le domaine compte dès lors six hectares. Colette décrira cette «petite montagne qui est à moi» où règne partout «une divine odeur de champignons» et de pommes au «parfum un peu — un peu quoi ? — un peu rôti» sous le nom de «Casamène». Elle goûte profondément la joie de vivre enfin chez elle et retrouve pour la première fois depuis son mariage le réconfort d'une vie libre et solitaire au milieu de la nature. Elle fait la connaissance d'«une Comté rude et fleurie, coupée de combes pierreuses, âpres et nues comme l'hiver» où les «levers de soleil couleur d'ambre» alternent avec le «violet vif» du soir, où les champs de cerisiers «aux branches fourrées de fleurs» tels les vergers de l'Âge d'Or tachent au printemps les

vallons d'un blanc ombré de bleu, exhalent «une odeur de miel, de bourgeon verni, de térébenthine» avant de dispenser, l'été, leurs généreux fruits dont elle aime à se repaître. Vêtue d'un tablier à larges poches, d'une capeline en cretonne rose, gantée de daim et chaussée de confortables bottines, elle reprend sa chère habitude de trôler et gambade dans les vergers alentour de six heures du matin à neuf heures du soir. Elle renoue avec un certain plaisir enfantin et se nourrit d'une débauche de cerises noires «cuites sur l'arbre» ou de quatre cents noisettes dont elle a fait le pari avec elle-même de toutes les manger dans un seul après-midi... Dans la forêt, les champignons nouveaux qu'elle croque crus ont la même fraîcheur et la même jeunesse que ceux des sous-bois puisayens de son enfance : «*Assise sur un tapis feutré d'aiguilles de sapin, j'épile soigneusement un mousseron tout frais englué d'une chevelure d'herbe fine. Il est moite et froid, emperlé et tendre comme un nez d'agneau, et si tentant qu'au lieu de le déposer dans le panier je le croque cru ; délicieux, il sent la truffe et la terre...*» (*La Retraite sentimentale*, 1907).

Lorsque le ciel vire au blanc, elle se confectionne des sorbets avec des confitures et de la neige en poudre et le beau temps revenu, elle s'achète une petite carriole qui lui permet de flâner à son aise le long des routes escarpées. Elle cueille «sans arrêter, ni inquiéter l'attelage» qui continue à son pas, les fruits rouges de l'églantine, les champignons entr'aperçus

DANS LES VERGERS DE FRANCHE-COMTÉ.

sous leur chapeau de feuilles mouillées, les senelles ou les fraises sauvages et comble la place restée vide à ses côtés de ces friandises ramassées. Le soir, à la veillée, elle écale des noix et des noisettes et «noue en bouquets les alises aigrelettes». Willy vient lui rendre visite dans sa retraite sentimentale et il semble bien qu'ils aient connu là les plus calmes et les plus heureux moments de leur intimité. «*Le chocolat matinal fume entre nous deux, et le poêle ronfle. Malgré les chaises anglaises au dossier inhospitalier, malgré les dressoirs Maple et le nickel Kirby, la longue salle à manger est restée provinciale, Dieu merci, un peu sombre et sérieuse : une seule fenêtre et beaucoup de placards pour les liqueurs, l'épicerie et les confitures... On dut autrefois y manger beaucoup, pieusement*» *(La Retraite sentimentale, 1907).*

Écrevisses, cailles, lièvres, perdreaux, «le tout braconné», voisinent sur sa table franc-comtoise avec les violets, champignons délicats qui abondent dans les sous-bois humides champignonneux à souhait, les framboises à pleins bols ou les pêches «jaunes et dures dont le cœur est d'un violet sanglant», arrosés d'un vin de pays, «prince enflammé, impérieux, traître comme tous les grands séducteurs.

Nous sommes loin de l'image scandaleuse que son époque veut donner d'elle. Seul Francis Jammes comprend la vraie Colette et proclame dans sa préface à *Sept dialogues de bêtes* (1905) : «*Mme Colette Willy est une femme vivante, une femme pour tout de bon, qui a osé être naturelle et qui ressemble beaucoup plus à une petite mariée villageoise qu'à une littératrice perverse.*»

Mais Colette pressent ce que ce bonheur a de désespéré et d'éphémère. Ces quelques étés de répit prendront malheureusement vite fin et un jour de l'automne 1905, il lui faudra rendre sa province franc-comtoise à un Willy qui, trop dispendieux, vient de la revendre : «Cela n'est plus à vous, ni à moi.»

PAGE DE GAUCHE : PORTRAIT DE COLETTE PAR
FERDINAND HUMBERT.
CI-DESSOUS : UN DE SES BRACELETS DE THÉÂTRE POSÉ
SUR LE REBORD DE SON PANIER EN OPALE.

ROZVEN

1910-1926

CHIMÈRES. La séparation d'avec Willy devient peu à peu inévitable. Elle survient en 1906. Colette, à trente-trois ans, doit recommencer sa vie, seule, sans l'appui social d'un mari et décide de prendre alors «le métier de ceux qui n'en ont pas» : le théâtre. Formée peu à peu à cette idée par Willy lui-même qui lui avait déjà fait installer trapèze et barres fixes pour qu'elle entretienne son corps souple, forte des leçons du mime Georges Wague, elle crée des mimodrames : «Le Désir, l'Amour et la Chimère», «La Romanichelle», «L'Oiseau de nuit», «Pan», et notamment «Rêve d'Égypte» qui fera scandale au Moulin-Rouge car elle y échange un baiser avec une partenaire réputée pour ses amours lesbiennes, Mathilde de Morny, marquise de Belbeuf, dite «Missy». Cette relation entachera longtemps la réputation de Colette. Pourtant, pour l'auteur du *Pur et l'impur*, l'amour homosexuel n'est en rien scandaleux s'il est un véritable amour. Sido, aux idées si anticonformistes, le comprendra tout à fait et témoigne dans ses lettres de la profonde affection de Missy pour Colette. Elle laisse deviner une personne discrète, tendre, empressée, qui manifeste un fort penchant maternel envers Colette, qui ne recherche, après tout, que le réconfort de deux bras — enfin — amoureux... *«Toi qui cherches, à travers ton amie passionnée, l'enfant que tu n'as pas eu... [...], tu m'as donné la crème du petit pot de lait, à l'heure du goûter où ma faim féroce te faisait sourire... Tu m'as donné le pain le plus doré, et je vois encore ta main transparente dans le soleil, levée pour chasser la guêpe qui grésillait, prise dans les boucles de mes cheveux... [...] Ta tranquille joie veillait sur ma folie»* (*Les Vrilles de la vigne*, 1908).

L'HEURE BLEUE. Colette, en 1894, alors convalescente, avait découvert «le sel, le sable, l'algue, le lit odorant et mouillé de la mer qui se retire, le poisson ruisselant» avec Willy et Paul Masson à Belle-Ile-en-Mer ; mais c'est véritablement Missy, qui, tout d'abord en baie de Somme, lui en fera goûter toutes les joies, et, notamment, celle de la pêche au filet tendu au travers d'un bras de mer où la marée «négligente» abandonne aux pêcheurs qui battent l'eau avec de longues perches le carrelet, la crevette grise, le flet et la

PAGE DE GAUCHE : COLETTE, GERMAINE BEAUMONT ET LA CHIENNE SOUCI SUR LE SEUIL DU MANOIR DE ROZVEN.
PAGE SUIVANTE : DANS LA FRAÎCHEUR DE L'AUBE BRETONNE ET SA «VAPEUR SALINE», LE CHEMIN DE SABLE QUI DESCEND JUSQU'À LA MER.

COLETTE AVEC MISSY DONT LE PRÉNOM GRACIEUX JURAIT AVEC LA
«CARRURE D'HOMME SOLIDE, RÉSERVÉ, PLUTÔT TIMIDE...».

limande. Colette se plante, droite comme un i, au milieu de ces larges flaques, traque ces proies marines de ses «seules mains écorchées» et salue chaque belle prise d'un «jappement» de plaisir : «— *Oh! on va emporter tout ? il y en a au moins cinquante livres !*

— D'abord, ça fond beaucoup à la cuisson. On en mangera ce soir en friture, demain matin en gratin, demain soir au court-bouillon... Et puis on en mangera à la cuisine, et on en donnera peut-être aux voisins...» (*Les Vrilles de la vigne*, 1908).

En juin 1910, Missy achète à Colette une maison bretonne, «Rozven», située entre Cancale et Saint-Malo, sur une «côte brûlée et odorante», dans un «endroit savoureux» [où] un chapelet de phares brille autour des baies, le soir». Elle la meuble et lui offre cette grande maison de bois verni, perchée sur un rocher «entre le ciel et l'eau» et qui sent le bateau. C'est un cadeau d'adieu. Colette a déjà fait la connaissance de celui qui va bientôt devenir son second «maître», le rédacteur en chef du journal *Le Matin*, le séduisant et brillant homme politique, Henry de Jouvenel, surnommé «Sidi». Colette garde sa maison bretonne mais y séjournera désormais entourée de ses amis, Hélène Picard, Germaine Beaumont, Claude Chauvière, Francis Carco, Léopold et Misz Marchand et sa nouvelle famille de Jouvenel. Là, «capitonnée [...] contre toute atteinte morale par une indifférence et une avidité physiques qui défient l'agresseur», elle se laissera aller chaque été, jusqu'en 1925, à cette «griserie marine», cet «abêtissement heureux», à cette «soif impitoyable des vacances». «*Beau temps. On a mis tous les enfants cuire ensemble sur la plage. Les uns rôtissent sur le sable sec, les autres mijotent au bain-marie dans les flaques chaudes*» (*Les Vrilles de la vigne*, 1908).

Elle ramasse des coquillages, ces «fleurs impérissables

effeuillées en pétales de nacre rose», nettoie avec un haveneau les trous à crevettes, va à la pêche, se baigne dans une mer de perle, puis, fatiguée, s'endort à même le rocher, sur le serpolet qui fleurit en flaques rondes, la joue posée «sur sa fleur élastique», bercée par «le sourd tonnerre de la vague explosant sous la falaise». C'est dans cette atmosphère de l'été de 1920, que Colette aura une aventure avec son beau-fils, Bertrand de Jouvenel, confié par sa mère à ses bons soins «pour son hygiène et son malheur», aventure que l'écrivain transposera dans *Le Blé en herbe*. L'amertume d'une certaine orangeade offerte à Phil, le jeune héros, par la «Dame Blanche», son initiatrice aux charmes de l'amour, ne se fera sentir que longtemps après...

À l'heure du déjeuner tout ce petit monde se précipite vers la maison, saoulé d'air. La motte de beurre salé trône sur la table entourée de toutes les richesses gastronomiques de ce «pays prétendu pauvre». Colette propose souvent pour commencer des cochonnailles bretonnes arrosées de cidre dur, des andouilles de Vire dans leur peau noire qui fleure bon le fumé, le ciré, l'intérieur de cheminée où elles ont longuement séjourné. Puis arrivent les crustacés qu'elle a elle-même soigneusement choisis dans les casiers des pêcheurs :

MOMENT DE RÊVERIE ET DE PARESSE SUR LE MURET DE LA TERRASSE.

COLETTE SCRUTE L'HORIZON LAITEUX DE LA MER BRETONNE QUI INTENSIFIE SA COULEUR BLEU PERVENCHE.

homards d'un bleu vif, langoustes, langoustines, araignées, crabes au « dos en velours de laine » bien pleins, gras et frais, qu'elle fait préparer le plus simplement possible sans autre sauce que la bonne eau salée qui coule de leurs articulations. Les tacauds, vieilles, carrelets, soles, merlans, thons et limandes, poissons raides et ruisselants sont le plus souvent apprêtés dans un aromatique court-bouillon qui ne doit pas être trop « personnel » pour laisser s'exprimer le goût naturel et différent de chaque poisson. Le dessert fait place aux typiques gâteaux de cette région : le « gwastel aman », le gâteau des rois sucré et salé, « lourd comme une brique », le « kouign aman », « délicieux gâteau » dont Douarnenez s'est fait la spécialité, ou encore de « délicate guipure de crêpes » dont Colette se demandera toujours quel tour de main merveilleux les façonne.

En 1929, Colette retrouvera cette vie dont elle s'« arrange terriblement bien » à l'île de Costaérès, où Léopold Marchand l'entraîne, à bord de petits cotres, dans des pêches miraculeuses. Les rougets se disputent dans les filets avec la coli-chemarde, le « virelai à arête dorsale », le « damoiseau Salin ». Et, un jour, pour faire cuire une « terrible créature des profondeurs », un crabe-araignée, il fut nécessaire d'utiliser comme marmite une vieille bassine à laver.

Dix ans plus tard, sans plus aucune attache en Bretagne, Colette ressentira le besoin de retrouver « cette qualité bretonne de l'air » et séjournera au Grand Hôtel de la Pointe des Pois, près de Camaret, « où on vous fout des homards et des gigots à tue-tête » : « *Une petite Bretonne glissante et muette, cheveux tirés, rubans quimperlais volant derrière elle, surgit les sourcils hauts comme si nous l'avions éveillée d'un sommeil de cent ans. Mais le thé la suit de près, et le cidre mousseux, et des crêpes brûlantes, dorées, et le parfait beurre salé qui, sous le couteau, crache des perles de petit-lait...* » (A portée de la main, 1949).

Pendant son mariage avec Henry de Jouvenel, Colette vivra également dans d'autres lieux, d'autres « provinces », un petit hôtel particulier du boulevard Suchet et le château des ancêtres de Jouvenel, « Castel-Novel ».

CASTEL-NOVEL

1911-1923

LA VIE DE CHÂTEAU. Le château de Castel-Novel situé à Varetz, non loin de Brive-la-Gaillarde, appartient à la famille de Jouvenel depuis 1844. Colette y fera un premier séjour en août 1911 et alternera vacances en Bretagne et dans le Limousin jusqu'en automne 1923. Colette épouse Henry de Jouvenel le 19 décembre 1912 et devient ainsi Madame la baronne de Jouvenel des Ursins. Les nombreux amis des mariés veulent tous célébrer cette union et les jeunes mariés « rebondi[ssent] » de déjeuner en dîner et de dîner en souper : « *Donc, vous êtes heureux, vous voguez dans le bleu et mangez de bonnes choses ? Parfait ! Il faut de ces bons moments dans la vie pour s'en souvenir quand on est devenu vieux* » (Sido à Colette, 1912).

La nouvelle épousée attend bientôt un enfant. Colette de Jouvenel naît le 3 juillet 1913. Surnommée « Bel-Gazou » pour son gracieux babillage, elle sera élevée dans le château fami-lial, loin de la guerre, par une sévère nurse anglaise, Miss Draper, dont seuls les puddings laisseront un bon souvenir. Colette suit son mari dans ses déplacements mais revient régulièrement voir sa chère fille qui se pare des couleurs de la campagne limousine. Elle est « sombre et vernissée comme une pomme d'octobre » et dans ses yeux joue à la fois « le reflet de la châtaigne, du tronc argenté, de la source ombragée ». De sa petite main calleuse, « sèche, un peu craquelée dessus par l'eau froide et le hâle » qui sied à celle qui « foule sa terre comme une princesse aux pieds nus », Bel-Gazou fait les honneurs du domaine à sa mère. Au bord de la rivière, elles cueillent mêlés reine-des-prés, saponaire et chanvre rose en un bouquet « un peu fade, blanc, rose et mauve ». Là, « un sentier, que la menthe argente, est une voie de parfums » et l'orée du bois où sous la futaie « oscillent lourdement les senteurs de la girolle, du tilleul, du châtaignier fleuri [les] rejette dans un bain éblouissant de lumière, d'herbe chaude, d'odeurs animales et potagères : la ferme est là ». Elles s'y rendent tous les jours vers quatre heures pour y boire le lait mousseux tout chaud : « *Du lait, sous la vache brune, mousse doré, dans le gobelet fourbi que nous tendons au berger. Les poires tavelées jaunissent, la dure pêche prête au vent brûlant sa joue sombre. Froissons, au passage, l'estragon, le thym et*

LA MAJESTÉ ALTIÈRE DE CASTEL-NOVEL, CE CHÂTEAU «ÉPHÉMÈRE, FONDU DANS L'ÉLOIGNEMENT»,
NE SUFFIT PAS À FAIRE DE COLETTE UNE CHÂTELAINE. TOUJOURS ACTIVE, AVEC LA FERMIÈRE VOISINE,
ELLE PRESSAIT LE BEURRE ENTRE DEUX FEUILLES DE BETTES À CARDES ET VENDAIT
À SES AMIS SES SURPLUS DE POMMES.

MOMENT DE RÉPIT PENDANT LES VENDANGES.
PAGE DE DROITE : LA BROUETTE BONDÉE DE LÉGUMES
DU JARDINIER M. CÉPAST.

la sauge, et coupons, pour honorer la grande salle, fraîche derrière ses volets clos, la fleur royale, bleue comme la flamme de l'alcool, des artichauts épanouis...» (Les Heures longues, 1917).

A leur retour, le vieux jardinier octogénaire Monsieur Cépast, qui a repris du service et s'entête à gratter, tailler, émonder, ratisser et biner tout en chantant d'une voix claire, les accueille, un bouquet de roses fraîchement cueillies à la main. *«Derrière lui, on voyait un potager net, des haies tondues, et l'air apportait vers nous l'odeur de la terre désaltérée, des laitues arrachées et des cives en bottillons.*

"Les paniers de pois iront au marché de demain, dit le vieux jardinier. Et voilà pour la table."

Il levait vers nous une hotte de présents : radis roses et cerises noires, têtes d'artichauts raides entre leurs deux feuilles métalliques ; fraises, asperges sanglées d'un brin d'osier : son œuvre» (Les Heures longues, 1917).

Colette s'abandonne aux cives crues, à l'ail — dont on ne lui permet que six gousses par repas, «par pudeur peut-être...», au fromage blanc malaxé de poivre et d'oignon en branche, à la soupe au lard de la fermière, aux boules de «farce dure» des veillées, aux grillons de canard et d'oie et, bien sûr, au foie gras et au confit dont Marguerite Moreno continuera de l'approvisionner ensuite pendant de longues années.

Les hommes étant partis au combat, elle renforce les rangs des vendangeuses qui feront un vin jeune, «dur à la bouche comme un juron». Les crus aînés arrosent un opulent déjeuner, servi à l'ombre d'un abri de roseaux garni de drap écru où une main paysanne a uni l'orange des fleurs de potiron au bleu des volubilis sur un fond de ramilles aux glands verts épinglées. Une soupe de légumes, la «soupe des vendanges», introduit un imposant défilé de viandes roboratives : poule bouillie, boulettes de farce, canards rôtis, lard

gras et maigre, épaule de mouton aillée, plat de côte de bœuf en pot-au-feu, veau dans son jus et, pour se laver la bouche, pulpeuses figues, melons à chair rouge ou gros raisins mûrs dont Colette a déjà apprécié au cours de la matinée le «sucre grossier» car elle avoue avoir succombé au «mal des vendanges» qui veut que sur trois paniers cueillis, on en mange un tout entier...

Auréolé de son héroïque conduite à Verdun, Henry de Jouvenel commencera une fulgurante carrière politique. Sénateur de la Corrèze, il deviendra, en 1932, ambassadeur de France en Italie après avoir été ministre de l'Instruction publique, des Beaux-Arts et de l'Enseignement technique sous le troisième ministère Poincaré. Recevoir est donc le premier devoir de son épouse. Colette s'y soumet volontiers dans leur nouvel hôtel particulier du boulevard Suchet où elle donne des dîners officiels à la seule lueur des bougies : *«J'acceptais de bonne grâce l'espèce de solitude où l'âpre conversation masculine me reléguait. Ma tâche me devenait aimable, pareille à celle des femmes de la campagne qui servent les hommes à leur retour des champs. Je découpais rapidement le gigot grésillant dans son plat de terre brune, je trempais dans son pot d'eau bouillante la grande cuillère à foie gras, je tranchais la tarte aux framboises, et les tasses arrivaient chaudes en même temps que le café...*

HENRY DE JOUVENEL : UN ÉLÉGANT «SIDI» TENDRE, JALOUX ET COLÉREUX.

«MA FILLE EST UN LIS, TEINT AUX COULEURS DE L'AUBE.»

Les convives me payaient de temps en temps d'un sourire, d'un "Bravo pour le gigot!" ou bien : "Enfin une maison où l'on sert le café brûlant !"» (Trait pour trait, 1949).

Elle se retrouve à la tête d'un important train de maison tant boulevard Suchet qu'à Castel-Novel ou même en vacances à Rozven où suit toute l'intendance issue en grande majorité du Limousin. Léontine Tassard, la cuisinière, grand cordon-bleu, puise dans les classiques de la cuisine de la fin du XIXᵉ siècle des recettes bourgeoises propres à réjouir le palais de ces hommes politiques trop souvent réunis au goût de Colette à ces «déjeuners d'hommes, terreurs des épouses, mangeailles politiques et secrètes, franc-maçonnerie de la gueule... ». Édouard, le maître d'hôtel, dresse la table avec de somptueuses nappes damassées marquées de la couronne du baron tout comme cette argenterie de famille rutilante, dont Colette continuera toujours à se servir. Il arrange les bouquets avec les fleurs que lui apporte Colette et les harmonise au service de porcelaine de Limoges aux fines fleurs bleues choisi par le couple pour orner ses trois demeures.

JARDINS SECRETS. Pour échapper aux obligations de plus en plus nombreuses de cette vie vouée à la représentation, Colette se ménage un jardin secret, au sens propre, comme au figuré. Entre ses échappées en Bretagne et dans le Limousin et l'écriture de son œuvre, elle se crée à l'arrière de l'hôtel

particulier du boulevard Suchet un petit havre de paix à son image, un jardin où rosiers, héliotropes, rhododendrons s'entremêlent sous une tonnelle d'où pend une glycine en grappes mauves qui protège son trésor : un buisson d'herbes aromatiques variées — «sauge finement velue», «citronnelle aux bords coupants», «mélisse des abeilles» — dont elle destine les bouquets d'agréables senteurs à ses amis qui désormais l'associeront à ces cadeaux des jardins, ces «merveilleux cheveux végétaux».

Dans le secret de son boudoir, aménagé au premier étage, elle retrouve pour se distraire une vieille habitude contractée dès son enfance : la fabrication de crèmes et lotions de beauté. Elle conçoit même le projet d'ouvrir un magasin et de lancer sa propre ligne de produits cosmétiques. Recettes de cuisine ou recettes de maquillage, ne sont-elles pas une même et unique chose pour Colette, la bonne sorcière, qui avoue aisément un «*penchant inné pour une chimie séduisante, pour des recherches, des essais, des manipulations [commencées] dès l'enfance, à tâtons, pour des magies salutaires aux origines agrestes*» ? (C. in Vogue, 1928.)

Finalement, elle concevra avec un laboratoire cosmétologique, après de multiples essais et une sévère sélection, une ligne de produits aux noms enjoués : pour les soins de la peau,

PAGE DE DROITE : COLETTE, LA «BONNE SORCIÈRE», PHOTOGRAPHIÉE PAR LIPNITZKI.
CI-DESSOUS : COLETTE DANS SON JARDIN D'HERBES DU BOULEVARD SUCHET.

pour ma fille
Bel-Gazou,
ou Colette,
ou le mauvais garçon
qu'elle est parfois
— l'essentiel est qu'elle

LA CHATTE

soit ma fille,
c'est-à-dire ce qu'il
y a de mieux et de
plus beau en fait
de fille.

Colette

le Lundi,

Mon cher Amour,

Je te écris une petite lettre parce que je viens
de recevoir ma citation à l'ordre de la 13e division, et que
tu m'as parue, ô fille de militaire, y tenir.

Voici du texte exact :

de Jouvenel-Henry, lieutenant à la 10e Cie du 29e R. I. T.

"Officier courageux, dévoué et d'un sang-froid remarquable,
s'est particulièrement distingué le 11 juin 1918 en se portant seul,
sous le feu, à la rencontre d'une patrouille ennemie que l'on
supposait devoir se rendre, donnant à tous [...] du plus
complet mépris du danger."

Eh bien, ma aimée, je [...]
Je songe à toi, d'abord, et puis [...]

des eaux «couleur de rose», «couleur d'abricot» ainsi qu'une eau : «Peau d'Ange» et une autre, primesautière, intitulée «Hop là!». Ses crèmes s'intitulent : «Je nourris» (crème «aliment»), «crème froide» à l'eau de rose, ou bien «pâte Couleur-de-Tourmaline». Les lèvres s'illuminent de «Rouge gai», de «Pomme d'Amour» plus clair, d'un électrique «Rouge furieux», ou de «Cerises volées». Les paupières se fardent d'un «Bleu d'Orage» ou d'un «Bleu Paon» tandis que les joues, sous une poudre fine «Beau temps», discrètement se colorent de fards gras aux noms exotiques ; «Perle grise», «Cactus rose», «Amadou», «Althéa» ou «Passerose» qu'elle conseille de répartir sans empâtements avec un «incomparable blaireau spécial», nommé «Patte-de-Chat». Dans une petite plaquette rouge et noir, elle exposera à ses clientes de justes conceptions sur l'hygiène, la beauté et le maquillage qui ressemblent à s'y méprendre aux conseils des techniciens actuels de la dermatologie féminine, avec quelque cinquante ans d'avance !

Ce n'est qu'avec celui qui deviendra son troisième mari, Maurice Goudeket, qu'elle réalisera ce souhait en inaugurant le 1er juin 1932 sa boutique, au 6, de la rue de Miromesnil à Paris. Car son deuxième mariage est également voué à l'échec : deux fortes personnalités, deux carrières s'affrontent. Colette a un lourd passé et affiche encore une liberté de propos et d'action qui ne convient pas au rôle officiel d'épouse soumise et discrète que la fonction de son mari requiert, ce qui, à la longue, pourrait nuire aux ambitions politiques d'Henry de Jouvenel. Par ailleurs, celui-ci est un incorrigible séducteur et ne résiste à aucune aventure amoureuse, Colette confie à sa meilleure amie en 1921 qu'elle n'est qu'un «chœur alterné d'allégresse et de lamentations». Il est temps pour Colette de changer de province car sa vie illustrera parfaitement cet adage : «Une femme se réclame d'autant de pays natals qu'elle a eu d'amours heureux.» Maurice Goudeket le devinera et l'entraînera loin de la Puisaye de son enfance, de la Franche-Comté de Willy, de la Bretagne de Missy et de Bertrand de Jouvenel, du Limousin d'Henry de Jouvenel pour une région ensoleillée, déjà frôlée lors de ses tournées théâtrales mais jamais encore vraiment explorée : la Provence.

CI-CONTRE : À GAUCHE, DÉDICACE DE COLETTE
À SA FILLE, BEL-GAZOU,
À DROITE, LETTRE DE HENRY DE JOUVENEL À COLETTE,
EN DESSOUS, LES ATTRIBUTS DE LA TABLE DE JOUVENEL :
ASSIETTES AUX PETITES FLEURS BLEUES, NAPPE
BRODÉE ET COUVERTS EN ARGENT ORNÉS
DE LA COURONNE DE LA BARONNIE.
COLETTE CONTINUERA ENSUITE À SE SERVIR
DE CES MÊMES COUVERTS.

LA TREILLE MUSCATE

1926-1938

UNE PROVINCE LYRIQUE. Maurice Goudeket, de père néerlandais et de mère française, est le fils d'un courtier en diamants d'Amsterdam. Le hasard des relations lui fait rencontrer Colette en avril 1925. Parce qu'il était épris de littérature, calme, cultivé, Colette choisit pour nouveau compagnon «le gars Maurice», «chic type» «à la peau de satin». Elle trouve chez lui une sérénité et un dévouement qui lui permettront de mieux appréhender les années de «l'Étoile Vesper» et de se consacrer entièrement à son œuvre. Ils se marieront dix ans plus tard, le 3 avril 1935. Colette a soixante-trois ans et Maurice Goudeket, quarante-six. Dès leur rencontre en 1925, celui-ci l'attire vers la chaleur du Midi de la France et, en 1926, après la vente de Rozven, Colette achète près de Saint-Tropez une petite propriété de deux hec-

tares partagée entre la vigne, un bois de pins, un verger d'orangers et un jardin où trône une petite maison provençale fort modeste bientôt baptisée «La Treille Muscate» en raison d'un pied de vigne de raisin muscat «dont la panse tendue reflète en bleu le jour» et s'obstine à couvrir le puits «de son nom et de ses sarments». Colette y séjournera au moins trois mois par an jusqu'en 1938. «*Il a fallu, pour la trouver, que je me détachasse du petit port méditerranéen, des thoniers, des maisons plates, peintes, rose bonbon fané, bleu lavande, vert tilleul, des rues où flotte l'odeur du melon éventré, du nougat et des oursins.*

Je l'ai trouvée au bord d'une route que craignent les automobilistes, et derrière la plus banale grille — mais cette grille, les lauriers-roses l'étouffent, empressés à tendre au passant, entre les barreaux, des bouquets poudrés de poussière provençale, aussi blanche que la farine, plus fine qu'un pollen...

Deux hectares, vigne, orangers, figuiers à fruits verts, figuiers à fruits noirs ; quand j'aurai dit que l'ail, le piment et l'aubergine comblent, entre les ceps, les sillons de la vigne, n'aurai-je pas tout dit ?» *(Prisons et paradis, 1932).*

Mais cette province lyrique tout en or rougeoyant et en

PAGE DE GAUCHE : COLETTE EN 1928 PHOTOGRAPHIÉE PAR CECIL BEATON.
CI-DESSOUS : LA TREILLE MUSCATE, PETITE MAISON BASSE, AU BOUT DE SA HAIE D'HONNEUR
DE VIEUX MIMOSAS.

LES TROIS LÉGUMES INSÉPARABLES ET VERNISSÉS.

bleu tour à tour « solide », « féroce » ou « mental », Colette la possède déjà, en elle-même. Son installation en Provence est symboliquement d'une nature très différente de ses autres déménagements. Elle renoue ici avec ses racines paternelles et se confronte ainsi à un versant jusqu'ici inexploré de ses origines ; n'oublions pas que son père, le capitaine, était Toulonnais. Elle met beaucoup d'ardeur à installer sa « province » méridionale. Elle fait construire une véranda sous laquelle elle pourra dormir l'été et apporte surtout grand soin à l'agencement de son jardin. Elle le remodèle en brusquant les habitudes d'Étienne le jardinier plus habitué aux plates-bandes parallèles en « gril à côtelettes » et le voue volontairement au charme de la courbe afin d'obtenir « un jardin où l'on peut tout cueillir, tout manger, tout quitter et tout reprendre ». Pour l'occasion, elle redevient « jardinier, terrassier, poisson nageant et même un peu cuisinière », bêchant avant huit heures pour éviter les grandes chaleurs avec la même ardeur de « mettre au net » son jardin comme elle le ferait d'une belle page d'écriture : « *La tomate, attachée à des palis, brillera de mille pommes, dès juin empourprées, et voyez combien pommes d'amour, aubergines violettes et piments jaunes vont enrichir, groupés en un massif bombé à l'ancienne mode, mon enclos bourgeois...* » *(Prisons et paradis, 1932).*

Riche de ses soins attentifs, baigné de « cascatelles de rosée » à l'aurore et arrosé d'eau de source au crépuscule, son jardin, « furibond de fleurs », exubérant paradis terrestre, n'est qu'« explosions ». Les trois légumes « inséparables » laqués de vert, de violet et de rouge — la pomme d'amour, l'aubergine et le piment — s'arrondissent tout comme la courge lisse. La vigne croissante étire « ses cornes ». L'ail et l'oignon révérés haussent « leurs lances » au milieu d'une débauche de fleurs. « *Sage, jardin, sage ! N'oublie pas que tu vas me nourrir... Je te veux paré, mais de grâces potagères. Je te veux fleuri, mais non de ces tendres fleurs qu'un jour d'été*

crépitant de criquets calcine. Je te veux vert, mais foin des verdures inexorables, palmes et cactus, désolation de la fausse Afrique monégasque ! Que l'arbouse s'allume à côté de l'orange, et soit le brandon de ce feu violet en nappe sur mes murailles : les bougainvillées. Et qu'à leurs pieds la menthe, l'estragon et la sauge se dressent, hauts assez pour que la main pendante, en cassant leurs ramilles, délivre des parfums impatients. Estragon, sauge, menthe, sarriette, pimprenelle qui ouvres à midi tes fleurs roses, fermées trois heures plus tard, je vous aime certes pour vous-mêmes ; mais je ne manque pas de vous requérir pour la salade, le gigot bouilli, la sauce relevée ; je vous exploite » *(Prisons et paradis, 1932).* Les légumes du Midi font son régal : doux oignons blancs sucrés, aubergines « karagheuziennes », « démoniaque pot de basilic », tomate pourprée, tendre artichaut ou petites salades « ingénues ». Quant aux herbes, « rien qu'à les nommer on les chante »...

Sa table dressée sous la glycine de la terrasse ou à l'ombre du figuier se garnit de beignets d'aubergines, de tarte à l'anchois, de riz aux favouilles, de rascasse farcie, de raviolis de sa gardienne — la « mère Lamponi » —, d'un « poulet grillé en plein air sur des braises de fenouil et de romarin », de brochettes aux « friandises alternées : un petit foie, un petit lard, un brin de laurier, un champignon, un demi-rognon d'agneau, un petit lard ». Elle fait aussi une large place aux poissons de la Méditerranée pêchés à la « fouenne » par Julio, le pêcheur de Saint-Tropez, qui lui rapporte tous les jours quand « cinq heures tombent du clocher », « la rascasse rouge, la pieuvre d'agate, la girelle à baudrier d'azur, l'affreux "ange" qui a des épaules comme un homme, la cliquetante langouste et le maquereau », qu'elle prépare soit « au coup de pied » soit en « une céleste cuisine » où l'ail et l'huile entrent à profusion. Ou bien, elle file à l'épicerie voisine s'approvisionner en sèches à la rouille, sardines farcies ou cannellonis. « L'ail enchante tous les mets. » A table, elle place à côté

BUSTE DE COLETTE EN FAUNE.

LE PARFUM DE CES DEUX GÉNÉREUSES COUPES DE FRUITS OUBLIÉES SUR LA BALUSTRADE APPELLE COLETTE POUR APAISER SA SOIF DE L'APRÈS-MIDI.

de son assiette une soucoupe pleine de «gouttes d'ail» qu'elle croque entre les plats et au cabaret du port où on connaît ses habitudes, «on lui en apporte en chapelets. Elle y mord de toutes ses dents et fourre le reste dans sa poche, pour la route». Ce n'est pas pour Colette une habitude contractée auprès des Méridionaux. Déjà pour justifier ce penchant pris dès l'enfance, elle affirme qu'«un Bourguignon consommait autant et plus d'aulx qu'un Provençal». Colette avoue qu'elle sent «l'ail d'une manière homicide», qu'elle «engraisse à vue d'ail», s'inquiète si ses lettres sentent l'ail et invente une nouvelle formule de politesse pour clore les lettres à ses amis qu'elle embrasse de tout son cœur «à l'ail de Provence». Pour tromper une petite faim dans la journée, avant ou après l'heure du bain, elle se prépare une «frotte d'ail», son délice, «un de ces chapons secs, croûte frottée d'huile, d'ail et de sel». Cet amour immodéré pour l'ail témoigne de son ancrage profond, de son osmose avec des gens simples, pays et payses dont pendant de longs siècles on disait avec mépris qu'ils sentaient l'ail. Tous les autres aromates de la famille des «allium» — oignon, poireau, échalote, etc. — étaient d'ailleurs appelés au Moyen Âge les «épices des pauvres».

LE CLAN CANNEBIER. La Treille Muscate est aussi le lieu de rendez-vous de l'amitié et de la convivialité. Ses amis,

regroupés sous le terme générique de «clan cannebier», Francis Carco, Paul Géraldy — que Colette initie à la dégustation du thé vert —, la comédienne Simone Berriau, et plus souvent encore les peintres, Luc-Albert Moreau, «ami d'un cru rare, tout raisin et tout bouquet» et Dunoyer de Segonzac, les «tutoyeurs de l'arc-en-ciel» sont ses compagnons privilégiés de «frairies». Ils se retrouvent sur la plage de Camarat où ils mangent «terriblement», font des excursions dans la forêt du Dom, se rassemblent le soir autour du piano mécanique de Mélanie ou paressent en fin d'après-midi à un très particulier «thé» de Colette servi à l'ombre de la glycine, du figuier ou du cerisier. Le vin blanc de sa vigne remplace l'habituelle boisson chaude et ses amis, en place de petits fours, se régalent de grandes galettes aux amandes et de larges frottées d'ail coupées dans un pain de trois livres généreusement arrosées d'huile d'olive fine. Une corbeille de fruits orne toujours sa table, attendant de combler la soif d'un de ses invités : pastèques rebondies, melons «en quartiers de lune», pulpeux raisins noirs et dorés, prunes violettes, oranges, «mais pas n'importe quelle orange», pêches «Téton-de-Vénus». Mais son fruit préféré reste, sans conteste, la «figue seconde», argentée de sel marin, dégustée à l'aube, le long du chemin de côte, sous l'arbre dont elle sait distinguer les différentes variétés : «La verte à chair jaune, la blanche à

chair rouge, la noire à chair rouge, la violette à chair rosée, mauve plutôt que violette, avec une peau si fine » et elle encourage ses amis à honorer plutôt cette *« figue seconde, qui des plus belles heures de l'été fait son miel, s'enfle de rosée nocturne, et verte ou violette pleure, par son œil, un seul pleur de gomme délicieuse, pour vous marquer l'instant de sa perfection »* (*Flore et Pomone*, 1943).

Ils dégustent aussi ensemble le vin de sa production : Colette vendange, veille au rendement et choisit elle-même les assemblages adéquats. Elle engrangera de 1 200 à 2 500 litres de vin chaque année, principalement du vin rouge, mais aussi quelques bonbonnes de vin blanc « couleur d'ambre » et rosé, « rose de groseille », du ratafia, du marc ainsi que quelques bouteilles de raisins muscats confits à l'eau-de-vie. Les variétés de raisins du Midi n'ont plus de secrets pour elle et parmi tous ces raisins pansus, elle identifie sans erreur le grain ovale de l'olivette et son « mauve de violette », la clairette « rosée et ronde », le « luxueux » picardan et le muscat « blanc doré » qui enorgueillissent sa petite vigne. Le tableau des vendangeurs est un spectacle « païen » dont elle ne se lasse pas...

Mais le vieux pressoir à bras qui se promène alors dans les rues et sur le vieux port de Saint-Tropez et offre au passant un verre de vin nouveau marque aussi le retour vers Paris. Colette revient parfois célébrer les fêtes de Noël en Provence : elle va alors écouter la messe de minuit aux Baux et passe le réveillon dans une auberge où la pissaladière à l'ail et le riz aux favouilles côtoient les pintadons et où le marron glacé

CI-DESSUS : COLETTE
MET LA TABLE À L'OMBRE
DE L'ACACIA.
CI-DESSOUS : MAURICE GOUDEKET,
« LE MEILLEUR AMI ».
PAGE DE DROITE : DES PETITES AILES DE LUMIÈRE BATTENT
SUR LES CONTREVENTS.

voisine avec les noix et les noisettes des Alpilles sur une nappe fêtée à la fois du houx de l'hiver et de roses timides.

La route entre Paris et la Côte d'Azur, «pente naturelle, facile, fatale» la transporte jusqu'à «la frange terminale» de la France, la verse «dans une mer orientale entre les coques trinquantes de deux bateaux sollicités par la houle». Tout le long, Colette choisit avec méticulosité ses étapes et ne s'arrête que chez les grands noms de la gastronomie : chez Alexandre Dumaine à «La Côte d'Or», à Saulieu où exceptionnellement «La Chatte» est admise à manger dans la salle à manger à table avec elle, ou bien, à Vienne, au restaurant de «La Pyramide» où pour faire plaisir à l'imposant mais chaleureux Fernand Point, elle inscrit sur son livre d'or : «C'est bien la dernière fois que je déjeune à la Pyramide ! Comment ! le saucisson chaud est délicieux, la truite est rosée, la poularde fond, le vin pétille, la pâtisserie va droit au cœur, — et moi qui voulais maigrir !!! On ne m'y reprendra pas ! »

Malheureusement, Colette se verra obligée de délaisser sa province tropézienne en 1938, les curieux se faisant de plus en plus importuns, attirés par une carte postale portant la mention «Villa de Collette» (sic). L'écrivain, désormais, ne connaîtra plus qu'une seule «province», le Palais-Royal.

PAGE DE GAUCHE : LA PORTE DE BOIS DU FOND DU JARDIN
S'ENTROUVRE SUR LA DERNIÈRE PROVINCE DE COLETTE,
LE PALAIS-ROYAL.
CI-DESSOUS : PÊCHES ET AMANDES PEINTES
PAR LUC-ALBERT MOREAU À LA TREILLE MUSCATE
ET OFFERTES À COLETTE.

LE PALAIS-ROYAL

1938-1954

LA DERNIÈRE PROVINCE. Colette emménage en 1938 au premier étage du 9, de la rue de Beaujolais et y demeurera jusqu'à sa mort en 1954. Le lourd passé historique du Palais-Royal avec son cortège d'ombres révolutionnaires n'aura aucune détermination dans ce choix. Elle s'installe dans ce « curieux désert » car elle retrouve dans cette cour carrée, fermée, où l'on peut vivre « sans presque jamais sortir », des habitants familiers, amènes et solidaires, « une coalition d'amis », l'esprit d'une véritable « province » : une voisine lui apporte des « poires cuites », la bistrote d'en face, « une paire de crêpes farcies », et tous ont autant de visages familiers et affables. « *Vous avez trouvé encore une province ?" me dit-on. Dieu merci, la province de Paris ne manquera jamais à ses amants parisiens, qui savent la découvrir, au besoin la créer* » (*Mélanges*, 1949).

Pour garder une maison à la campagne, Colette et Maurice Goudeket achètent tout de suite après la vente de la Treille Muscate, en 1938, une maison de « plaisance », « Le Parc » à Méré, près d'« une petite ville ancienne, pleine de charmes », Montfort-l'Amaury. Mais la guerre va les surprendre et la maison devra être revendue. Colette regrettera son « incomparable » jardin mais aura eu, néanmoins, le temps d'y recevoir son amie, la princesse de Polignac. Pauline, sa cuisinière-gouvernante, nous a décrit la table dressée à l'occasion de la réception de la princesse : des assiettes bordées d'un filet bleu et or, posées sur une nappe entièrement bleue couronnée d'aubépine blanche fraîchement cueillie dans la forêt. La princesse devant une telle harmonie demanda qui avait décoré la table et, par modestie, Colette répondit pour mettre en valeur sa fidèle servante aux yeux de la Princesse : « C'est Pauline ».

PERSONNAGES D'ALMANACH. Agée aujourd'hui de quatre-vingt-neuf ans, la fidèle servante ne vit encore que dans le souvenir de l'écrivain. Engagée en 1916 au service de la famille de Jouvenel à Castel-Novel à l'âge de quatorze ans pour s'occuper de Bel-Gazou et seconder Miss Draper dans de menues tâches domestiques, elle choisit, quand le couple se sépara, de rester avec sa maîtresse. Détentrice d'un bon sens populaire certain, elle restera quarante-huit ans à son service et assumera à ses côtés, outre ses bienveillantes activités domestiques, le rôle d'un permanent gardien de la rusticité. Colette, reconnaissante, la métamorphosera en personnage romanesque.

Lors de ses longues promenades dans la forêt toute proche, à la recherche, notamment, d'un curieux champignon décrit comme à la fois « algue-mousse-truffe », Colette fera la rencontre d'un nouveau « personnage d'almanach », digne des « Frisepoulet » et « Bon-Dieu » de son enfance, Madame Gaduel. « Dryade », « chasseresse [du] vert royaume » de la forêt de Rambouillet choisie comme « patrie » et comme « grenier », Madame Gaduel avait l'habitude de partir avant l'aube prospecter des recoins connus d'elle seule. A plus de quatre-vingts ans, « à ne contempler que la forêt, le bleu charmant de ses yeux n'avait point passé ». Au fil des saisons, son tréteau de bois du petit marché de Montfort-l'Amaury se garnissait, au printemps, de violettes, d'anémones sauvages « veinées de mauve », de jacinthes et de muguet ; à l'automne, de digitales, de noisettes, de mûres, de prunelles bleues ou de la tendre salade de « doucette ». L'été, elle s'accrochait « aux hanches, au cou, aux reins, une guirlande de petits

LE RADEAU DE COLETTE ENCOMBRÉ DE SES OBJETS FAMILIERS VEILLÉS PAR LE FANAL BLEU : FLEURS, BRODERIE, LIVRES ET PAPIERS EN DÉSORDRE GRACIEUX.

LA TABLE BLEUE DRESSÉE À MONTFORT-L'AMAURY POUR
LA PRINCESSE DE POLIGNAC.

paniers vides » qu'elle remplissait de fraises des bois rougissantes. Ces jours-là, celle qui se contentait pour toute pitance « de ce que l'on n'achète pas » et picorait « la graine et la pulpe sans maîtres », « écrasait sur une longue tartine de pain, un lit de fraises et déjeunait de ce pain rose », tout comme autrefois une petite Colette sauvageonne, « reine de la terre »...

LES PETITES FERMIÈRES.

Après s'être réfugiée chez sa fille, à Curemonte, en Corrèze, pendant quelques mois, Colette retourne à Paris car elle a pris « l'habitude de passer [ses] guerres dans la Capitale ». Mais l'alimentation devient vite un souci. Colette a la chance de connaître deux jeunes femmes, Thérèse Sourisse et Yvonne Brochard, les « petites fermières » qui bientôt, avec Renée Hamon, « le petit corsaire », et quelques autres personnes assureront son ravitaillement. L'époque des astuces et du « Noir-Trafik » commence. Cette « amitié providentielle » avec les fermières nantaises se compléta bientôt d'une « entente commerciale » qui les vit se transformer en « sergents-fourriers », « anges nourrisseurs », « nourrissonnes-nourricières », dont les colis, impatiemment attendus, étaient salués d'exubérantes manifestations d'enthousiasme. Une correspondance de plus de deux cents lettres retrace cette épopée alimentaire. Colette invite ces deux jeunes femmes, qui ont choisi d'abandonner volontairement leur métier pour se consacrer à la nature, à lui écrire souvent car leurs lettres sont pour elle, désormais immobilisée par une arthrite de la hanche sur son radeau, « comme un coup d'éventail », son « jardin et [sa] campagne » et l'écrivain les imagine toutes deux debout sur le seuil d'un royaume qui lui appartint autrefois.

Pendant cette même période difficile, Colette, toujours généreuse et soucieuse du bien-être de son prochain, fera profiter ses lectrices de sa grande expérience pratique et leur prodiguera des conseils culinaires dans *De ma fenêtre*, paru en 1942. Elle prône le réemploi de toutes les ressources naturelles que nous méconnaissons, par facilité. « *Que ne voudrais-je pas inventer, ou ressusciter, pour enrichir à peu de frais vos menus, lecteurs, et les miens ! [...] Quelle ménagère en est encore à laisser perdre le lait tourné ? J'y mêle sel et poivre et oignon cru, et je le baptise "Fontainebleau 41", pour ce qu'il est beaucoup plus doux que la plupart des yoghourts. Ou bien je l'incorpore à une omelette, qui grossit d'autant.* »

LA NOCE DE PAULINE.

La distribution des carnets de tickets de rationnement continua encore pendant quelques années après la fin de la guerre mais ces périodes de privations recelèrent aussi parfois quelques miracles. Le mariage de Pauline en novembre 1945 en fut un. Son repas de noces sera, pour sa famille et bien sûr pour Colette, à qui elle avait demandé l'autorisation de se marier, l'occasion inespérée de deux journées d'agapes privées, soigneusement cachées au fond d'un fournil de boulanger où une table de vingt-cinq couverts fut dressée. Pauline nous a raconté que, tel un festin pantagruélique, les plats cuisaient au fur et à mesure dans le four, à portée de main, ou plutôt de bouche. Chaque parent venu de différentes régions de France avait apporté avec lui un cadeau nourrissant : des gigots de la Charente, des poulets de la Corrèze, des jambons du marché noir, des pains blancs et moult pâtisseries qui ne réclamèrent pas moins de quatre kilos de beurre ! Colette admit que les jours suivants étaient bien fades et que tout pâlissait auprès de la noce de sa précieuse cuisinière-gouvernante.

UNE AMITIÉ BEAUJOLAISE.

Une autre opportunité d'échapper au quotidien et de renouer avec le charme d'une

*PAGE DE DROITE : SA «CONSTELLATION» DE PRESSE-PAPIERS,
CANNES EN VERRE ET LUDIONS.
«CE QUI EST INUTILE EST PRESQUE TOUJOURS INÉPUISABLE.»
CI-DESSOUS : LE «CHEMIN DE RONDE», ALLÉE DE TILLEULS BORDÉS DE QUATRE
CENTS PIEDS DE GLYCINE DE SA PROPRIÉTÉ DE MONTFORT-L'AMAURY.*

maison hospitalière, à la campagne, habitée par des gens de qualité, se présentera à Colette avec la rencontre de Madeleine et Jean Guillermet.

Jean Guillermet (1893-1975) était libraire classique à Villefranche-en-Beaujolais. Humaniste, amoureux des Beaux-Arts, et de nature philanthropique, il décida d'aider des vignerons du Beaujolais qu'il voyait autour de lui dans la misère. Il les encouragea à améliorer la qualité de leur vin et se lancera dans une véritable croisade pour la reconnaissance de cette région. Dès 1930, il se fit le chantre du beaujolais dans toutes les réunions viticoles nationales puis internationales et, avec ses amis vignerons et négociants dont Claude Geoffray et Léon Foillard, promut une appellation vouée à un grand succès commercial : « le beaujolais nouveau ».

Son épouse, fine, cultivée et intelligente, Madeleine Guillermet (1887-1978), l'assistait avec discrétion et efficacité en assurant un accueil également chaleureux à chaque visiteur. Un jour, elle prit sa plume, déclara son admiration de longue date à Colette et l'invita à venir se reposer dans sa maison de Limas. L'écrivain déclina l'invitation pour raison de santé mais décela « une âme » entre les lignes de la lettre et demanda qu'on lui envoie quelques photos de la maison, de ses hôtes et de son jardin afin de faire connaissance avec « un bel endroit habité par de braves gens ». Ils se rencontrèrent finalement plusieurs fois à Paris, à Monte-Carlo et à Uriage avant que Colette ne finisse par succomber à une vive attirance. Elle séjournera chez les « Guillermets » en septembre 1947. Toute la maisonnée se mettra à son rythme de vie, soit dans la consigne du silence pour lui permettre le repos, soit dans la sollicitude amicale. Sur le vieux petit bureau de la chambre de Madeleine, elle écrira les derniers chapitres du *Fanal bleu* et à l'ombre du séquoia du jardin de Limas, bercée par le murmure de la fontaine chimérique, désormais nommée « la fontaine de Colette » elle relatera dans « Beaujolais 47 » les vendanges sur les coteaux de Brouilly : *Les grandes portes rabattues, le cru semblait retiré à même une grotte, et de son haut plafond il me jeta ensemble une chape glacée d'air immobile, la divine et boueuse odeur des raisins foulés, et le bourdonnement de leur ébullition. Cent mètres de voûtes s'étoilaient de lampes ; les cuves rejetaient par-dessus leurs bords la bave rose en longs festons ; un attelage de chevaux pommelés, bleuâtre dans la pénombre, mâchait nonchalamment des grappes tombées ; l'âme du vin nouveau, lourde, à peine née, impure, se mariait à la vapeur des chevaux mouillés* (*Le Fanal bleu*, 1949).

Cette amitié, scellée par le vin, est placée sous le signe de la bonne chère. Tous les matins, Made, excellente maîtresse de maison et véritable cordon-bleu, portant le petit déjeuner, soumet à Colette le menu du jour. Leur complicité est totale car elles ont en commun le souvenir d'une même enfance simple, libre et rustique ; de longues conversations s'engagent alors… qui s'épanouiront à table, devant les mets réalisés, ou lors du « goûtillon » de quatre heures où les effluves rustiques du vin « frais et rouge comme frambouèze », véritable « sang fruité », se mêlent au saucisson charnu couleur de vieux bordeaux et à la soupe à l'oignon masquée de fromage filant. Alors, toute la famille réunie, Made surnommée « la Guillermette », Jean, le « grand Danois des cristalleries », leur fille Suzanne, « Suzon », leur fils Claude, le « petit Page »

CI-DESSUS : LA CÉLÈBRE JUMELLE POSÉE SUR LE MANUSCRIT DE *LA JUMELLE NOIRE*.
PAGE DE GAUCHE : LE POT DE STYLOS DE COLETTE.

— qui nous a confié tous ces détails — et même « Vizou » la chatte siamoise mordorée, écoutent émerveillés, Colette, prolixe, s'exprimer avec beaucoup de poésie et d'acuité sur sa gourmandise.

Quand Colette revient à Paris, les « Guillermets » reprennent leurs envois de colis de vin de Beaujolais et de nourritures comme auparavant : quenelles de brochet, chapons, canards, cervelas, sont salués avec enthousiasme comme étant « les meilleures choses de gueule ».

Cette amitié beaujolaise d'une chaleureuse intimité fut une parenthèse heureuse dans cette période de la vie de Colette contrainte par la douleur de l'arthrite. Tous ses acteurs la gardèrent, de concert, secrète, tel un trésor. Claude Guillermet, alors jeune témoin fasciné, assis à sa droite à table, a bien voulu pour nous rompre ce silence et nous en confier l'exclusivité lors de longues et passionnantes conversations. Qu'il en soit ici vivement remercié.

LE « GRAND VÉFOUR ». L'entourage de Colette au Palais-Royal est aussi porté sur la gourmandise. Jean Cocteau qui habite son ancien logement, l'inconfortable entresol, monte très souvent la voir ; il paraît et disparaît, « toujours "luciole" ».

Bien que cela soit peu connu, l'auteur des *Parents terribles* considère la cuisine comme un art véritable et élève les grands chefs au rang de génie. Avec Emmanuel Berl et Maurice Goudeket, ils se réunissent tous les jours vers treize heures dans un haut lieu de l'histoire de la gastronomie, le « Grand Véfour », l'illustre restaurant du XIXᵉ siècle tombé en désuétude depuis le début de ce siècle, que Yvette et Raymond Oliver viennent de reprendre. Ces nouveaux voisins vouent une admiration sans bornes à l'auteur de *Sido* et, un jour, Raymond décide d'aller frapper à sa porte. Leurs accents bourguignon et gascon se mêlent vite dans d'interminables discussions sur les recettes de cuisine et une vive complicité naît aussitôt entre eux. Colette l'envoie chercher par des petits mots griffonnés sur un bout de papier bleu, portés par Pauline la messagère. Alors, Raymond Oliver enlève prestement sa veste de cuisinier et s'empresse de grimper l'escalier pour lui tenir compagnie plusieurs après-midi par semaine. Là, un petit cérémonial précède toujours leurs longs apartés : une bouteille de champagne, toujours du Pommery, le champagne préféré de Colette, l'attendait, frappé à souhait. Ce champagne était devenu sa boisson favorite « quand tinte une heure agréable », pour récompenser un dur labeur ou lorsqu'il sied de célébrer « dignement » un anniversaire. Elle adorait « déchirer ce capuchon doré », « entendre cette explosion qui libère le gaz impatient », « regarder monter et rire, au sein du vin d'or, des bulles, des bulles, des bulles... » et sortait ces « flacons fastueux » pour « coiffer » toute joie « à grand bruit » « d'un vin des grandes dates » aux « perles d'air bondissantes »... Elle le mit en scène dans *Chéri* : « — *Tu bois quoi, depuis que tu es marié ? demanda Desmond. De la camomille ?*

— Du Pommery, dit Chéri.

— Avant le Pommery ?

— Du Pommery, avant et après !

Et il humait dans son souvenir, en ouvrant les narines, le pétillement à odeur de roses d'un vieux champagne de mil huit cent quatre-vingt-neuf que Léa gardait pour lui seul... »

Mais, pour mériter ce « murmure d'écume », Raymond Oliver devait se soumettre à un petit exercice : se mettre à quatre pattes sous le radeau de l'écrivain pour sortir de sa cachette, une énorme boîte de chocolats dont Colette faisait d'autant plus ses délices qu'ils lui étaient normalement défendus.

Le chef du « Grand Véfour » mijotait aussi quelquefois sur ses fourneaux pour une poignée d'amis privilégiés des plats qui n'étaient pas à la carte de son restaurant et gardait alors toujours « la part de Colette ». Ravie, elle le remerciait de petits mots élogieux où elle louait ce jambon « rouge foncé et transparent », « justement le jambon que j'aime » ou cette tourte, véritable « chef-d'œuvre » où « la pâte, l'intérieur et la sauce, tout était parfait » et un autre jour : *« Cher ami, je ne vous cache pas que nous avons lâchement abandonné les "boulettes" que Pauline nous avait confectionnées avec un solde de gigot, et que nous nous sommes abattus sur ce cassoulet épatant, familial, gratiné dessus, moelleux dessous, un cassoulet pour voisins et pour connaisseurs ! Merci encore une fois, et que notre bonne chance vous empêche de déménager ! »*

QUATRE-VINGTIÈME ANNIVERSAIRE. A l'occasion du quatre-vingtième anniversaire de Colette, Raymond Oliver décida de réunir Curnonsky, « rond garçon bien drôle, tout truffé d'esprit fin » devenu « prince des gastronomes » et l'écrivain, qui tous deux à l'âge de vingt ans avaient été des « nègres » de Willy. Colette émit le désir de déguster pour cette occasion un lièvre à la Royale préparé avec 40 gousses d'ail et 40 gousses d'échalotes. Le chef Oliver ne connaissait que

la recette traditionnelle du lièvre à la Royale garni de foie gras. Il se documenta puis décida de réaliser pour ce repas qui rassemblait deux si grands gourmands, deux lièvres à la Royale, un, « façon Colette » et l'autre, à la Oliver ! Et les deux lièvres furent présentés ensemble à la même table pour le plus grand bonheur de la petite assemblée réunie.

Les académiciens Goncourt voulurent également célébrer dignement l'anniversaire de leur présidente et comme elle ne pouvait plus se déplacer, ils se réunirent chez elle. Les cuisines du restaurant Drouant lui composèrent son menu préféré : Huîtres de Marennes, Coulibiac de Saumon à la Russe, Fricassée de Poulet au Champagne et Gâteau Quillet.

Beaucoup de personnalités vinrent rendre visite à l'écrivain, célébré par tous, dans son appartement du Palais-Royal. Maurice Goudeket et Pauline filtraient les entrées pour ne point la fatiguer, tels de bienveillants cerbères. Une visiteuse prestigieuse est à remarquer : la reine Elisabeth de Belgique qui réconfortait l'écrivain en lui apportant du miel provenant des ruchers de son palais de Laeken. Colette émit un jour le vœu de boire de la « kriek-lambic », une bière populaire à base de froment et d'orge germée brassés avec des cerises de Schaerbeek qu'elle avait bue, plus jeune, à Bruxelles. La reine fut étonnée de cette requête, somme toute modeste, et accéda au vœu de l'écrivain en lui envoyant les bouteilles demandées quelques jours plus tard, satisfaisant ainsi un des derniers souhaits de l'écrivain qui lui répondit : « *Voilà que je me trouve bien osée d'avoir demandé, à Votre Majesté, le Kriegck-lambic qui me faisait envie. Faut-il écrire Kriek, ou cric, ou crick ? Je ne sais, mais c'est bien lui, reconnaissable à sa robe écarlate, à son écume rosée, et surtout à sa force, capable d'enivrer des têtes plus solides que la mienne. C'est un terrible compagnon, qui se souvient des "beuveries" populaires. Le jour de Noël, il aura sa place sur notre petite table ronde, et c'est lui qui portera la santé de la reine Elisabeth. Autorisez-le, Madame, à tant d'honneur : il est si essentiellement belge !* »

Colette « pencha lentement » sa tête sur l'oreiller pour la dernière fois, dans « un mouvement d'une grâce infinie », le 3 août 1954. Elle nous laisse l'exemple d'une femme qui a vécu toutes les gourmandises : gourmande par curiosité, gloutonne quelquefois pour se réconforter, elle eut toujours l'intelligence de rester gourmet. Elle explora toutes les saveurs mais nous ne saurions aujourd'hui chanter ses louanges si elle n'avait su nous les faire partager avec autant de fraîcheur, de poésie et de vérité.

«On naît gourmet. Le vrai gourmet est celui qui se délecte d'une tartine de beurre comme d'un homard grillé, si le beurre est fin et le pain bien pétri.»
C. IN MARIE-CLAIRE, 1939.

«Si j'avais un fils à marier, je lui dirais : "Méfie-toi de la jeune fille qui n'aime ni le vin, ni la truffe, ni le fromage, ni la musique".»
PAYSAGES ET PORTRAITS, 1958.

«CES PLAISIRS
QU'ON NOMME, A LA LÉGÈRE, PHYSIQUES»

————— ■ —————

Définir le goût d'un écrivain pourrait relever de la gageure. Comment rendre compte, en effet, de ses indicibles et éphémères sensations gustatives ? D'autant que, pour beaucoup, écrire sur le goût tient de la seule littérature gastronomique et n'est pas digne de se mêler à la «vraie», la «grande» littérature. Colette relégua aux orties tous ces préjugés. Elle ne suivit que son instinct et se fia aveuglément à la vérité du réel que lui transmettaient ses sens, tous ses sens sans exception : sens intelligents, vivement et avidement exercés, affinés aux plus délicates expériences. Elle fit du goût un plaisir permanent, rémanent, et, de l'art de la dégustation, un art de vivre dont elle parsema ses écrits. Ces multiples petites annotations sur son quotidien nous permettent aujourd'hui de pouvoir très exactement définir son goût. Pareilles à un assaisonnement, indispensables mais discrètes, elles surgissent, rassemblées, en un tout cohérent reconstituant le code, parfois teinté d'une certaine morale, d'un goût rustique, voué au bon sens, vrai, juste et authentique.

PREMIÈRES BOUCHÉES. Invité à la table de Colette, comment vous aurait-elle reçu ? Elle vous aurait peut-être proposé un apéritif par convenance, pour accompagner Maurice Goudeket, mais sûrement pas par conviction car pour elle, le seul vrai apéritif reste le vin. Si vous aviez été de ses intimes, Colette vous aurait fait partager sa curieuse habitude de commencer le repas par... un fruit ! De toute façon, elle aurait attiré votre attention sur la première bouchée du repas qu'elle vous aurait préconisé de savourer avec recueillement car son goût est «incomparable». Tout comme l'aube, où la nature s'offre comme un «cadeau» et où un bruit revêt une importance quasi symbolique, presque immatérielle, la première bouchée est un «cadeau» pour le goût, après «ce n'est plus la même lune de miel de bouche».

HARMONIE. Dans *Marie-Claire* en 1939, Colette déclare : «Mon estomac, remarquablement conservé, est celui d'une bourgeoise gourmette et gourmande» qui n'a «renoncé à rien de ce qui contente le palais, partant, le cerveau». Elle sait jouir des bonnes choses mais aussi et surtout goûter, c'est-à-dire élever une sensation en plaisir intellectuel. Voyons maintenant quels goûts culinaires ont pu régler un tel estomac et satisfaire un goût si exigeant qui, de préférence, choisit... «tout ce qui est bon, tout ce qui fait, de l'heure des repas, une petite fête des papilles et de l'esprit.»

Colette qui a un sens aigu de l'harmonie veut également la retrouver dans son assiette. Elle fustige l'assemblage d'ingrédients qui ne se correspondent pas, ne se complètent pas, et la présence de produits sans utilité gustative qui sacrifient à une mode ou à une décoration superflue comme dans cette «salade, italienne» faite, «de choses qui n'ont rien à faire les unes auprès des autres». De même dans l'assaisonnement d'un plat, elle critique une sauce trop forte ou un produit porté excessivement en avant car elle recherche avant tout un mariage des saveurs, une entité cohérente, un goût total et parfait, une symphonie gustative : *«Un bon plat est l'affaire, avant tout, de modération et de classicisme. Arrière les épices coup-de-cymbales, l'alcool grosse-caisse!»* (C. *in Marie-Claire*, 1939).

MONSEIGNEUR LE VIN. Car Colette applique à toutes les nourritures, avec rigueur et volonté, le principe de l'harmonie qu'elle élargit d'ailleurs à l'ensemble du repas. Elle vitupère les mélanges excessifs de vins et de plats, redondances gustatives, qualifie de «terrible» un déjeuner où lui furent servis «huit plats, autant de vins» et se méfie des combinaisons intempestives car, écrit-elle, «il est bon de traiter l'amitié comme les vins, et de se méfier des mélanges». Mais, s'il n'y en a qu'un sur sa table, Colette vénère «Monseigneur le Vin», complice des mets, catalyseur de la convivialité : *«Les palais se mouillent et les langues se délient, ce n'est pas le moindre miracle du Vin de France, — qu'il soit chaud ou frais, fluide et perlé de bulles, ou onctueux et collant légèrement aux parois du cristal —, que de ressusciter la conversation française»* (*Le six à huit des vins de France*, éd. Nicolas). Elle sourit volontiers au «Vin couronné d'hyperbole, engendreur de poème, le Vin qui reprend parmi les hommes sa familière et magnifique figure d'allégorie ». Forte de l'éducation prodiguée par Sido et le capitaine, renforcée par un usage « familier et discret » du vin et la prodigieuse utilisation de son appareil sensoriel, Colette est passée maître dans l'art de la dégustation et n'aurait pas démérité au milieu d'un de ces aréopages contemporains de dégustateurs chevronnés. Elle sait déguster un vin, en connaît parfaitement le rite : « L'œil d'abord, le nez ensuite, la bouche enfin... » et en traduit admirablement « les arrière-pensées ». Dans « la topaze d'Yquem » ou le « rubis balais », un peu mauve parfois, du bordeaux au parfum de

COLETTE AIME BOIRE DANS UN GOBELET UNI, « SANS DÉFAUT ET SANS PARURE, MINCE, PLAISANT AUX LÈVRES ET À LA LANGUE ».

violette » ou chez un « grand ancêtre de Bourgogne », elle décèle les secrets de la terre. « La vigne, le vin sont de grands mystères. Seule, dans le règne végétal, la vigne nous rend intelligible ce qu'est la véritable saveur de la terre. Quelle fidélité dans la traduction ! » Le silex se fait « vivant, fusible, nourricier » et la craie ingrate « pleure, en vin, des larmes d'or ». Son ami, le gastronome Henri Béraud, dès 1925, admirait ses prodigieuses facultés et en confirma la qualité et la rareté : « On découvre tout de suite qu'elle sait manger, ce qui, pour une femme, est rare — et qu'elle se connaît en vins — ce qui est probablement unique. [...] Ses yeux de biche déchirée coiffent le nez le plus expert en arômes et en essences que l'on puisse trouver autour d'une table de connaisseurs. »

DÉGUSTATION. Il est vrai qu'elle sait définir avec un luxe de nuances, les odeurs qu'elle rencontre, comme, par exemple, dans *Prisons et paradis*, cet arbre qui « balance jour et nuit un clocher de fleurs d'où descend un fil ininterrompu, une onde d'arôme où [elle] retrouve l'abricot blet, la fraise confite, le muguet quand il passe fleur, la tubéreuse, et la rose à l'heure de sa décomposition ». Elle se moque d'ailleurs elle-même de ce vocabulaire de la dégustation qui, par nature, cherche des comparaisons pour exprimer ce que les sens perçoivent : « *Il est en nous un démon qui compare, baptise, détourne de leurs fins, dénature les dons les plus simples de l'univers tangible. Nous aimons que la rouelle de veau ait "goût de noisette"; nous louons, dans la pintade, une saveur de perdreau* » (*Prisons et paradis*, 1932). Ainsi, à des amis qui recherchent une comparaison pour qualifier le parfum d'une pivoine, elle répondra avec humour : « La pivoine sent la pivoine, c'est-à-dire le hanneton. »

Colette accorde dans sa perception sensorielle une place prépondérante à l'odorat. Elle affirme qu'il est à la fois le plus « sauvage », le « plus aristocratique de nos sens » et qu'il ne s'en laisse jamais compter. Elle avoue à une amie que le sien est si puissant, si « impérieux » qu'elle aurait dû être reine du monde « ou chien de chasse » !

TOUTES SAVEURS. Elle applique bien sûr cet art de la dégustation à toutes les nourritures et non seulement au vin : dans un « tourron », cette gourmandise espagnole offerte par Maurice Saurel, elle sait déceler sous sa langue ce goût ineffable non pas de noisettes ou d'amandes mais, plus subtil, d'huile de cacahuètes grillées qu'elle reconnaît immanquablement. Elle ne bannit de sa palette gustative riche comme une queue de paon aucune saveur et prend plaisir à toutes les saveurs primaires, habituée à cela depuis son enfance : « *A dix-huit mois, je suçais la salade vinaigrée dans l'assiette de ma nourrice pour contenter ce besoin d'acide vivant qu'à présent on admet chez la créature en mal de croissance, puisqu'on lui administre jus de citron et quartiers d'orange. On peut se fier assez largement à l'instinct d'un jeune animal humain quand il est né sain. Il va aux crudités souvent, comme le chat au chiendent* » (*Prisons et paradis*, 1932). Plus tard, un de ses grands plaisirs sera de croquer à même un jeune oignon blanc cru, rappel de son enfance campagnarde aux sensations pleines, sans craindre de choquer autour d'elle certaines âmes sensibles, certains palais aux papilles atones. Paul Guth, témoin de ce spectacle, écrira qu'« elle le nomme, le caresse d'un bougonnement de plaisir » et que le petit oignon se charge alors d'une véritable dimension dramatique : « Il devient un personnage de féerie végétale, inscrit au protocole des héros, comme un Hamlet ou un Tristan. » Yannick Bellon lors de la scène du retour du marché de Pauline dans son film sur l'écrivain avouera avoir gardé longtemps présent à son oreille le craquement de l'oignon sous la dent de l'écrivain.

Souvent l'acidité, tout comme les crudités, se manifeste chez elle comme une véritable convoitise : « *Tel qui ne bronche pas devant une plaque de chocolat faiblit à l'idée d'une fraîche orange parée encore d'une petite feuille à sa queue. J'avoue que je suis de ces derniers* (Flore et Pomone, 1943). Le salé et le sucré lui sont autant appréciables. Ne se rejoignent-ils pas d'ailleurs pour mieux se confondre comme dans ces grains de raisins « craquelés à force d'être mûrs, poivrés à force de sucre » ?

Colette apprécie particulièrement les goûts poussés à leur paroxysme comme ces fruits mûris à l'extrême, « ridés au soleil », confits dans leur peau où le sucre sous l'action de la chaleur et du temps se transmue pour donner cette « suave » et « juteuse pourriture divine », ces poires Messire-Jean du jardin de Sido « flogres aussitôt que mûres » que des guêpes tenaces continuaient de manger dans leur chute, cette pomme boucanée sous son petit tumulus de cendres, « congestionnée de saveur », ou ces grains de raisins de muscat, enveloppés dans un petit « pochetto » de feuilles de châtaignier qu'on laisse cuire au soleil pendant plusieurs semaines... Colette aime ce sucre inné qui fait fermenter les fruits à l'étouffée

LORS D'UNE DÉGUSTATION D'UN GRAND CRU À NUITS-SAINT-GEORGES.

RAPPROCHER AU PLUS PRÈS DE SOI TOUT CE QUI « SE SAVOURE, SE TOUCHE, SE RESPIRE ».

ou ce sucre cuit qui entraîne les fruits au-delà de leur saison les figeant dans leur plénitude dans une sorte d'éternité gourmande. « *Il y avait ces fruits glacés de sucre, imprégnés de sucre, qui n'étaient plus que sucre, transparence vitreuse comme celle des pierres semi-dures, abricots-topazes, melons-jades, amandes-calcédoines, cerises-rubis, figues-améthystes... Un jour à Cannes j'ai vu une barque de sucre coloré, débordante d'une cargaison de fruits confits. Deux passagers y eussent tenu à l'aise. Quelle gourmande, quel enfant gâté avait embarqué son rêve à bord d'un pareil esquif ? J'entrai...* » (Flore et Pomone, 1943).

TEMPÉRATURES. Pour déguster de telles saveurs de façon optimale, il faut avant tout respecter les températures naturelles des produits. Ainsi Denise Tual témoigne que « savoir faire une huître » pour Colette, ce n'était pas lui faire subir une quelconque préparation culinaire mais bien l'ouvrir avec précaution, en « ôter le sable sans pour autant la vider de son jus de mer » et surtout « la servir ni tiède, ni trop glacée ».

De même, elle inculquait à ses proches que « *les fruits doivent être mangés à la température du soleil qui les a mûris* » et citait en exemple la figue seconde : « *Mangez-la sous l'arbre, et si vous tenez à ma considération, ne la mettez jamais au frais, ni — horreur et sacrilège ! — dans la glace pilée, tout-aller, pis-aller inventé par les rudes palais américains, qui paralyse toute saveur, ankylose le melon, anesthésie la fraise et change une rouelle d'ananas en fibre plus textile que comestible.*

Tiède le fruit, froide l'eau dans le verre : ainsi l'eau et le fruit semblent meilleurs. Que penser d'un fruit qui s'éloigne, comme se refroidit une planète, de la chaleur qui l'a formé ? Un abricot cueilli et mangé au soleil est sublime » (Flore et Pomone, 1943).

«AVENTURES QUOTIDIENNES...»

VARIÉES. Colette complète ces connaissances parfaites de l'art de la dégustation par un savoir quasi encyclopédique des variétés de produits qui font d'elle un authentique gourmet. Chaque aliment présenté sur sa table doit s'habiller des plus grandes qualités gustatives et Pauline court le quartier du Palais-Royal à la recherche du meilleur pain, de la meilleure viande, des fruits les plus mûrs, car sa maîtresse à l'immense expérience sait que la nature est capable de lui procurer les sensations les plus raffinées et lui réclame sa suprême quintessence. Chaque aliment, fût-il le plus commun, et justement parce qu'il paraît, à d'autres, insignifiant ou élémentaire, doit être choisi avec le plus grand soin. Ne répète-t-elle pas inlassablement cette sage maxime à sa cuisinière : «A repas simple, il faut aliments de qualité.»

Cet incessant désir de la qualité s'accompagne d'une connaissance gustative et botanique approfondie dont l'intérêt se porte à la fois sur les innombrables variétés de fruits mais aussi sur les herbes ou les légumes méconnus. Cette

«UN ABRICOT CUEILLI ET MANGÉ AU SOLEIL EST SUBLIME.»

démarche de gourmet satisfait à la fois son exigence gustative et sa quête littéraire du mot juste.

Aussi Colette se récrie-t-elle quand un convive réclame *une* orange, «comme s'il n'y avait au monde qu'une espèce, qu'un cru, qu'un arbre, qu'une multitude indistincte d'oranges...». Lors de leur pleine saison, au mois de février, elle déguste les «vultueuses» et ovales oranges tunisiennes qui emplissent la bouche «d'un suc sans fadeur, d'une acidité adoucie, largement sucrée» dont chaque spécimen n'est jamais totalement identique à un autre. La curiosité pousse à la consommation... En mars et avril, après le court intermède des philippevilles et des palermitaines qui «mouille[nt] bien la bouche», mais sans plus, arrivent sur le marché de petites oranges ibériques ou provençales tardivement mûries qui n'égalent pas leurs sœurs d'hiver mais comblent, rehaussées d'un trait de citron, l'envie estivale des orangeades, et permettent de réaliser d'agréables confitures.

Elle puise dans la lecture de *La Grande Pomologie* son admiration pour la pêche «Téton-de-Vénus», «plus ovale que ronde», qui «porte à son sommet velouté cet ombilic saillant qui lui a valu son nom» et s'inquiète de l'absence sur les marchés de sa cerise préférée, la belle «Montmorency, à chair transparente, rouge laque» alors que «son cousin le bigarreau noir n'est en comparaison que fadeur et goût de graine de sureau». Elle s'amuse à la lecture des catalogues de semis où sa plume ironique voit dans l'«Oignon de la Reine», «le durillon d'un pied auguste» et dans le «Monstre de Viroflay», «le criminel satyre d'une banlieue». Elle s'invente des jardins imaginaires peuplés de chicorée «pommante» et de «cœur-de-bœuf éclair» où elle ébourifferait des laitues avec le «joli geste de fleuriste». « *"Pied court ! Tête de fer ! Obtuse ! Naine, métisse ! Phénomène ! Grosse blonde paresseuse..."*

Elles ont fini de s'invectiver, ces mal embouchées ?

Ne les interrompez pas : c'est la litanie des légumes de mai-juin» (C. in *Almanach de Paris an 2000*, 1949).

Du jardin de Sido, Colette a conservé à jamais le goût des variétés de fraises d'autrefois comme la «belle-de-juin», le «capron», petite fraise de couleur jaune-blanc, au goût délicatement framboisé de fraise sauvage ou la laide mais délicieuse «liégeoise-Haquin», «que la maturité pousse au bleu de cyanose, musquée comme un fruit des tropiques et qui ne passait pas du potager à la table sans s'écorcher, saigner, tacher la corbeille et la nappe...». Elle garde aussi, indélébile, le souvenir de la désormais introuvable poire «Messire-Jean» qui ne connaît pas d'égale lorsqu'elle est cuite et sur les qualités gustatives de laquelle elle reste intarissable.

Colette confirme les enseignements de son enfance par la lecture d'ouvrages comme celui de *La Maison rustique des*

FRAISES D'AUTREFOIS : CAPRON, LIÉGEOISE-HAQUIN, BELLE-DE-JUIN DANS LES VOLUMES DE LA *GRANDE POMOLOGIE*, «LIVRE INÉPUISABLE D'IMAGES».

dames de Madame Millet-Robinet qui, en deux volumes, résume toute la science domestique présentée comme ayant «*l'influence la plus décisive sur le bien-être et le bonheur de l'humanité*». Colette n'est pas loin de partager cet idéal, elle qui déclare puiser dans le quotidien et le réel son inspiration et la source d'intarissables émerveillements. Bien qu'elle n'adhère pas aveuglément à l'esprit ouvertement conservateur de cet ouvrage, elle se réclame, «sans rougir», fidèle à certains procédés archaïques et fièrement dressée contre, par exemple, le pomologiste en mal de sélection qui ne laisse le choix au consommateur qu'entre deux pommes, «la rouge et la blanche, la rouge et son vigoureux cramoisi, son insipidité saine de légume cru — la blanche et son eau douce-acide, un peu plus personnelle» et s'enquiert de «discuter calibre, transport et conservation» en lieu de goût.

... OUBLIÉES. Auteur de *Pour un herbier*, elle fait sien ce principe énoncé par la consciencieuse et laborieuse conceptrice de *La Maison rustique des dames* : «*Une bonne ménagère saura employer toutes les ressources qu'offre la campagne, et se procurer cette abondance qu'on ne trouve que là à peu de frais et qui est une des jouissances de la vie*» et essaie, plus particulièrement pendant les périodes de restrictions alimentaires de la Seconde Guerre mondiale, de faire entendre cet adage à ses lecteurs. Elle expose ainsi en 1942 dans *De ma Fenêtre*, combien il est urgent et nécessaire de retrouver l'usage de certains légumes méprisés, qu'elle n'a quant à elle jamais cessé d'utiliser.

Le radis noir, elle continue de le croquer cru, taillé en rondelles par son fidèle serviteur, la «lame-à-tout-faire», qui aussi bien pèle les châtaignes ou transporte pour la «manger» une goutte d'eau translucide, figée dans le calice d'une fleur. Dès son jeune âge, elle tirait sur la «géante ombrelle»

du panais pour l'extraire des champs et l'apportait à Sido qui le joignait invariablement à ses potages. Rien ne l'attire véritablement vers cette «noix de terre», le souchet comestible, mais elle a vu dans le Limousin les enfants déterrer ce «menu tubercule ridé» pour le croquer cru et elle apprécie la «délicieuse émulsion» préparée avec son frère espagnol, l'«orchata de chufas». Elle tente de réhabiliter la raiponce, vieille salade que cultivaient et prisaient nos ancêtres aux XVIe et XVIIe siècles, qui avait l'honneur de la table du roi, «pour sortir quelquefois, à peu de frais, de nos éternelles et coûteuses scaroles et laitues», et constate à regret que «sur cinquante sortes de salades, nous en cultivons, nous en mangeons, tant cuites que crues, quatre ou cinq. En temps de paix, ce n'est guère ; c'est nettement insuffisant aujourd'hui.» Même au bord de la mer, un œil averti comme le sien sait repérer l'algue appelée «ulve», «large, molle et tendre fausse laitue marine d'un vert émeraude» qui peut être mangée crue ou séchée. Elle prend alors un délicieux goût maritime, salé, iodé, et condimente, émiettée, une autre salade ou bien, se grignote, telle quelle. Quant à la criste-marine à la «chaire vive et tendre, grasse, juteuse, acidulée» qui verdit sur les «dunes pâles comme la neige», elle l'envoyait régulièrement, dès ses premiers séjours au bord de la mer, à Sido qui la mettait à confire dans du vinaigre.

Avec une cueilleuse de simples nommée «La Varenne», qui ressemblait trait pour trait, «en plus vultueux», à la sor-

LA «NOBLE FORME» DE LA PÊCHE TÉTON-DE-VÉNUS.

COLETTE JARDINIÈRE DANS SON JARDIN DE MONTFORT-L'AMAURY.

cet imposant chardon « à candélabres violets », dont les piquants l'arrêtent souvent dans sa course, elle mange le fond, « à la croque-au-sel ou en vinaigrette » comme celui de son cousin, l'artichaut. Elle avoue pouvoir nommer de nombreuses plantes qui repoussent la plupart des néophytes : la tanaisie, « "la malodorante tanaisie", comme disent les botanistes », la rue, l'achillée, la benoîte, le tussilage, la chélidoine, dite « herbe-à-seins », puis « par corruption "clair-bassin" », dont elle fend de son ongle la tige pour en extraire le « jus teinté d'ocre » et proclame qu'elle préfère la « râpeuse senteur qui s'élève d'une herbe un peu maudite, un peu médicinale, partant un peu vénéneuse » aux parfums « embouteillés » ou trop douceâtres. Déjà, avec Sido, elle froissait les feuilles odoriférantes de l'hysope, de la marjolaine, de la verveine-citronnelle, de la sauge ou de la pimprenelle et grignotait la petite cerise de cire du coqueret alkékenge, cachée dans son lanternon « couleur de poumon de bœuf, fibrillé de sang ».

De tous les fruits et baies sauvages, elle connaît les propriétés et le goût. Elle sait que cette « petite baie rougeotte », l'épine-vinette, fait une excellente confiture tout comme la cornouille, que la morelle ou « douce-amère » est une petite cerise qui fait vomir, que la corme, « diminutif de la pomme », « rose comme une pomme naine », est « bien plus fine que la nèfle », que la « petite amande triangulaire du hêtre », la faîne, se croque comme une noisette et donne une huile douce qui se bonifie en vieillissant car elle ne rancit pas. Familière de tous ces fruits, sauvages et « fidèles », elle s'inquiète en les décrivant de parler par « énigmes » et enjoint tout particulièrement son lecteur pendant les périodes de restrictions alimentaires de renouer avec les habitudes ancestrales de la cueillette qui amoncelait autrefois dans les celliers ces providentielles provisions pour l'hiver.

EXOTIQUES. Mais la curiosité et la connaissance de Colette pour les nourritures sont universelles. Elle fréquenta assidûment les meilleures épiceries fines de la capitale qui l'approvisionnèrent en fruits de ces « îles fortunées » : mangue, chéri-moya, angsoka, fruit du jacquier, ou corossol dont le surnom de « fraise monstre » la ravissait. Elle connaît également la recette anglaise qui accommode le fruit de la passiflore, c'est-à-dire la grenadille, avec du sucre et du vin de Madère. Connaissant son penchant, ses amis lui rapportaient des contrées lointaines ces fruits « qui sentent l'éther » et même, un soir, on déroba pour elle, sans malice, dans un jardin de la capitale, une mystérieuse pomme du Japon, dont la fragrance « mi-coing, mi-pomme », « perdant toute retenue » alla éveiller la libraire du rez-de-chaussée...

cière de Perrault illustrée par Gustave Doré, la toute jeune Colette découvrit les herbes aromatiques. Elle ne voulut retenir que leur nom familier, ne connaître que leur « intimité rustique », pour pouvoir continuer à rêver à l'énoncé de leurs fabuleux surnoms, nés de l'imagination populaire : « verge du diable », « sagesse des chirurgiens », « herbe qui défait l'amour »... Sur ses pas où s'obstinait la « coupable » odeur de l'armoise ou de la menthe des marais, elle fait connaissance avec la consoude que le patois local a déformée en « grande console », « tout pareil que l'épinard », dont les longues feuilles charnues et duveteuses, utilisées en cataplasme, sont un excellent cicatrisant ou régalent le goût en soupes ou en beignets. Familière de ces déformations poyaudines, elle sait reconnaître dans le « bois-doux », la racine de la réglisse, dans la « rouante » et le « tourmidi », respectivement l'épinard et la chicorée sauvages et dans les rouges et âpres « sinelles », le fruit de l'aubépine. De l'onoporde, « le pet-d'âne »,

PLANTE MEDICINALE DE LA FRANCE

L'ARMOISE VULGAIRE.

Artemisia vulgaris.

PLANTE MEDICINALE DE LA FRANCE.

L'EPINE BLANCHE. L'ALISIER AUBEPIN.

Cratægus oxyacantha.

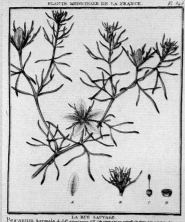

PLANTE MEDICINALE DE LA FRANCE.

LA RUE SAUVAGE.

Peganum harmala.

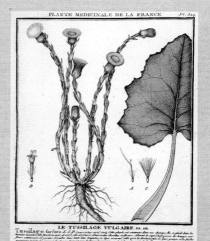

PLANTE MEDICINALE DE LA FRANCE

LE TUSSILAGE VULGAIRE.

Tussilago farfara.

PLANTE MEDICINALE DE LA FRANCE.

L'ACHILLÉE MILLEFEUILLE.

Achillea millefolium.

PLANTE VENENEUSE DE LA FRANCE.

LA DOUCE AMÈRE. LA MORELLE GRIMPANTE.

Solanum dulcamara.

QUELQUES PLANTES DE L'HERBIER DE COLETTE.
DE GAUCHE À DROITE ET DE HAUT EN BAS :
L'ARMOISE, L'ALISIER, LA CHÉLIDOINE,
LE TUSSILAGE, L'ACHILLÉE MILLEFEUILLE,

LA MORELLE DOUCE-AMÈRE ET L'ÉPINE-VINETTE.
« LA FANTAISIE HUMAINE EST COURTE ; SEULE LA
RÉALITÉ EXTRAVAGUE SANS FREIN NI LIMITE. »
PRISONS ET PARADIS, 1932.

Épine-Vinette.

COLETTE À TABLE AVEC UNE AMIE, VERA VAN DEN HENST, APRÈS UN REPAS À «LA LENTEUR RÉFLÉCHIE».

«PRISONS ET PARADIS»

PROVIDENCE. Tous ces produits composent une palette de goûts multiples qui prêtent à d'infinies associations. Colette ne les veut que dans leur pleine saison et pour elle, le repas idéal est la réunion des produits du moment, du terroir, de la providence et de la générosité humaine. Elle vilipende le touriste qui, dans le Midi, «*réclame son bifteck aux pommes, tendre à point, ses œufs au bacon, ses épinards en branche et son café "spécial"*» et qui ne voudra jamais lier connaissance avec «*l'excellence de quelque vieux plat provençal, les vertus de l'ail, la transcendance de l'huile d'olive*» et ces «*trois légumes inséparables, vernissés, hauts en couleur comme en goût : l'aubergine, la tomate et le poivron doux*». «*Les isolés comme nous découvrent que le repas de l'auberge dépend d'une sollicitude, d'un caprice personnel, non de la hâte et de l'obligation. Il se trouve que le beurre vient d'être battu, qu'un pêcheur a capturé ce gros "poing-clos" dont la chair fine est*

rose. "*J'ai un peu de crème de reste, si vous l'aimez...*" propose la patronne. Et son petit garçon cueille au jardin un bol de framboises, dont le "menu" ne fait point mention... Même, une cuisinière dispose encore en notre faveur d'un peu de temps, d'un peu de particulière bienveillance : "Laissez de côté les sardines grillées, j'ai bien un quart d'heure pour vous faire mon 'homard Mélanie'..."*» (*A portée de la main,* 1949). Colette s'attache à explorer avec une insatiable curiosité toutes les richesses gourmandes d'une région car chacune a sa personnalité, son paysage et sa race qui font qu'un même produit n'aura pas tout à fait la même saveur d'une région à l'autre, proposant ainsi aux gourmands de «miraculeuses saveurs» sans cesse renouvelées et inépuisables.

«RÉCRIMINATIONS.» Cette fidélité à la différence, cette confiance sans retenue dans les mariages naturellement nés dans une même région l'amène à se révolter contre l'abus de l'appellation «cuisine du terroir» dont la mode dans les années trente s'est emparée pour présenter sous de trompeuses et fallacieuses apparences régionales des plats qui n'ont pas besoin de ce travestissement pour se faire apprécier, et d'autres, usurpateurs du goût, qui se cachent derrière cette étiquette facile. Elle s'exclame : «Beau pays de France, souriante patrie du bien-manger, secoue, de ta robe, les faux affiquets provinciaux ! » et met en garde son lecteur, au nom d'un certain bon sens culinaire, contre des recettes aux alliances incongrues présentées, pour rassurer le convive, comme anciennes, retrouvées dans la mémoire des familles, alors qu'elles ne sont que d'informes dérivés dégénérés de grands classiques des campagnes.

Colette n'a besoin d'aucun folklore là où ses sens sont les seuls et les meilleurs juges. Sa dégustation ne s'embarrasse d'aucune justification idéologique et elle ne vise qu'à l'essentiel : l'harmonie des saveurs. « *Un exécrable snobisme veut déguiser la gourmandise française en un culte que la mômerie déshonore. A qui fera-t-on croire que le navarin ne se consomme que derrière des rideaux de coton quadrillés de rouge, et que le vin est meilleur dans un pichet de faïence à devise ? Non, je ne suis pas bien assise sur un banc de bois "façon rustique"* » (*Prisons et paradis*, 1932). Car Colette se fie aveuglément à cette tradition de la cuisine française qui, au fil des siècles, a appris à maîtriser la cuisson, les transmutations des produits, à respecter l'équilibre de l'assaisonnement pour former cette « gourmandise française amoureuse de certaines "symphonies de gueule" », issues de « discrètes combinaisons, lentes, réfléchies, où l'harmonie prenait source et élan dans une noble retenue » : Aussi pour les « plats à longue cuisson », devient-elle « tatillonne » : « *La cuisine française, la vraie, est à cheval sur les principes, sur cinq ou six grands principes que je révère. Je crains, autour du bœuf mode, la surabondance du pied de veau, qui change la gelée en gélatine, et celle de la douce carotte qui risque de sucrer la sauce. Par*

COLETTE FUSTIGEAIT CEUX QUI, DISAIT-ELLE, « RENIAIENT LEUR VENTRE ».

UNE AGRÉABLE TRÊVE CONVIVIALE EST UN RENDEZ-VOUS « D'AMOUR ET D'AMITIÉ ».

contre, je jette dans le même bœuf deux morceaux de sucre au commencement de la cuisson. Autant dans l'aiguillette à l'ancienne, autant dans le cassoulet. Pourquoi ? Parce que. Nos grand'mères faisaient ainsi et chacun le trouvait bon. » (C. *in Marie-Claire*, 1939). Et parce qu'il ne s'agit pas de faire « de la soie sans soie, de l'or sans or, de la perle sans huître, et Vénus sans chair », certains usages qui ne se donnent pas les moyens de réussir, qui veulent raccourcir les manœuvres nécessaires, masquer la pauvreté des ingrédients utilisés par l'excessif alcool ou le gluant fromage, l'indignent. Elle poursuit de la même vindicte le champignon de couche, « créature insipide, née de l'ombre, couvée par l'humidité », le bannit « du poulet chasseur, du lapin sauté, de la rouelle de veau qu'il pâlit encore, des prétentieuses timbales et des "restes" accommodés, qu'il prétend enrichir » car elle juge qu'il « mouille les jus sans profit réel ». Mais accepte de lui faire bonne figure « quand il se présente seul, nu et rosé, prêt à être sauté dans un beurre irréprochable, ou grillé, ou mangé cru, humecté d'huile et de citron » comme ces mousserons de la Puisaye, de Franche-Comté ou... du bois de Boulogne, « croqués sur place, décoiffés de leur peau de suède [qui] fleurent un peu la truffe, leur noire cousine princière ». Cette « ténébreuse » truffe, « insoumise, mal connue, mal employée », elle la veut également dans sa nudité originelle, « brossée et non pelée, enveloppée de papier beurré » et non gâchée par « des mariages de déraison », engluée dans du foie gras ou inhumée dans une volaille.

DIVINATION. La réussite d'un mets réclame cette connaissance d'un savoir-faire, intraduisible, transmis seulement par l'expérience ou l'intuition. Colette les détient tous deux et réussit aussi bien dans l'art de tourner une salade que dans celui de cuire une simple grillade, il ne faut pour la réussir que «le sens du feu et une certaine hardiesse de geste». Sa dextérité restera dans la mémoire d'Anna de Noailles : «Soudain à table elle se tassera tout entière au-dessus du saladier et remuera des laitues comme on retourne un champ. Elle se fatigue avec fierté, arrose la printanière verdure d'un vinaigre abondant comme une ondée d'avril, énonce à ce sujet des certitudes, des convictions profondes, une foi que ne lui arracherait ni la politique ni le droit des femmes ni même ces conversations sur la mort [...].»

De même, choisir un fromage revient plutôt à le «deviner» et n'est, en fait, qu'affaire de «radiesthésie». Colette conforte cet empirisme, cette connaissance intuitive, quasi divinatrice, dans sa description du cuisinier qu'elle apparente curieusement et de façon révélatrice, à un sorcier, un mage,

GERMAINE BEAUMONT, «ROSINE» AUX «CHEVEUX DE MIEL»,
ÉTAIT CONSIDÉRÉE PAR COLETTE COMME SA FILLE.

un magicien, tel le cuisinier de l'Antiquité grecque, nommé le *mageiros*, au statut intermédiaire entre les hommes et les prêtres. Du cuisinier dont elle ne voit que «l'ombre sur le feu», elle décrit le bras «noir armé du balai aromatique» qui ne cesse de s'agiter au-dessus de la vapeur ou la main «d'une noblesse sauvage, qui jette à poignées, dans la vapeur, je ne sais quel charme...». La cuisine est pour elle «affaire d'expérience, de divination» mais l'inspiration ne doit pas être confondue avec improvisation. Gare à la supercherie ! *«L'improvisateur s'installe aux fourneaux comme ailleurs. L'œil au ciel, et non sur ses casseroles, il laisse tomber ici une pincée de curry, là une cuillerée de cognac, et ailleurs pis encore : quelques gouttes de sauce anglaise. Et je te farcis n'importe*

quoi de dieu sait quelle farce ; et je t'insinue une pécheresse essence, et je te salpiconne, et je te nappe, et même je te chemise... Vieux mots, vocables classiques, rites dont abusent les prêtres improvisés» (*Prisons et paradis*, 1932).

COLETTE CUISINIÈRE. Mais, au fait, Colette a-t-elle cuisiné, était-elle une bonne cuisinière ? Anna de Noailles, dans une ébauche inédite, la décrit très affairée à apprêter pour quelques convives «une collation réputée, que de loin, à distance, sans la voir, elle surveille et presse. Le mets qu'elle annonce se prépare et il fait de son mieux dans le four car il la redoute, il connaît son humeur», il sait que s'il n'est pas parfait, il ne doit pas paraître devant «cette grande vivante» qui «serait impitoyable à une pâte trop cuite». «Pourtant un insuccès n'est pas à craindre.» Ses spécialités : «vin cuit et bouillant», et «galette volumineuse» à la «chaleur moite».

En se rendant à sa première rencontre avec Colette, au début de la Première Guerre mondiale, la jeune Germaine Beaumont, toute fiévreuse, échafaudait de lyriques discours pour briller devant le célèbre écrivain. Elle la trouva absorbée par une commune tâche ménagère et soudain, eut la révélation de sa personnalité. « *"Fille d'Annie, tu tombes bien. Tu vas m'aider à finir d'éplucher des haricots verts. Je fais des conserves." Un instant après, j'étais assise en face de Colette, dans une sorte de cuisine forestière, parmi des bocaux de verre vides, devant une pyramide de haricots très fins, pendant que l'eau d'une bassine chantonnait sur le feu doux de la cuisinière»* (G. Beaumont, *Colette par elle-même*, 1951).

Colette eut la chance de vivre à une époque où il était encore courant de se faire servir. Aux nombreux domestiques attachés au train de maison de la famille de Jouvenel se substitua Pauline Tissandier qui la dégagea du fastidieux entretien quotidien de sa maison durant la dernière moitié de sa vie. Libérée de cette contrainte féminine, il est sûr que Colette ne faisait plus souvent la cuisine et se consacrait à l'écriture. Devons-nous nous en plaindre alors que sans l'aide ménagère de Pauline nous n'aurions peut-être pas à lire toutes ces admirables pages de la littérature française ? Colette elle-même reconnut ce fait et admit qu'elle guidait plus souvent la main de celle qui était en train d'accomplir tous les stades d'une recette qu'elle ne réalisait elle-même un plat : «*C'est même embellir la vérité que de me prendre pour un cordon-bleu, alors que je suis seulement capable de gouverner l'exécution d'un plat, et donner des conseils tout égayés de gastronomie éclairée*» (C. in *Marie-Claire*, 1939). Mais cela ne l'empêche pas de posséder une véritable science de la maison, et de veiller au bien-être de son entourage car, disait-elle, elle se sentait avoir «charge d'âmes».

LA GOURMANDISE : UNE PHILOSOPHIE?

Observer la gourmandise chez Colette est loin de relever de la simple anecdote mais révèle, au contraire, un point essentiel de sa personnalité et de son écriture. La gourmandise a été un moyen tout à fait privilégié d'illustrer et d'assouvir le plus souvent possible ce formidable élan de curiosité, cette avidité passionnée qui la pousse à mieux connaître le réel. Car avoue-t-elle, seul « l'ordinaire » la « pique » et la « vivifie » et qu'y a-t-il de plus ordinaire qu'un fruit, qu'une herbe, qu'une tranche de pain? Mais, pour qui sait, comme elle, distinguer dans une poire l'introuvable variété Messire-Jean et son ineffable chair cassante et juteuse, ou reconnaître, dans cette bogue cornue, la cornuelle et son amande à goût de bougie et de tanche, chaque infime objet, sous son œil attentif, se distingue, se charge d'une valeur quasi merveilleuse. Mais on ne peut la tromper : sa gourmandise, armée de son formidable appareil sensitif, lui transmet aussitôt la vérité.

Les saveurs ont cette particularité d'être à la fois sans cesse renouvelées et pourtant constantes. Les saisons égrènent la fraise, puis la pêche, puis la figue qui disparaissent pour mieux revenir l'année suivante, invariables. Mangée à soixante-dix ans, une cornuelle aura le même goût que celle de son enfance, et grâce à cette permanence immuable de la saveur, le goût sollicite immanquablement le passé. Ainsi, Colette, qui a surnommé le chocolat, « le philtre qui abolit les années », partage le même sentiment d'intemporalité au goût énoncé par M. Proust.

Plus sensible encore que l'auteur d'*À la recherche du temps perdu* à l'art de la dégustation, Colette abolit également le temps à chaque bouchée goûtée et applique délibérément dans son art de vivre quotidien ce « seul luxe [qui] nous reste :

POIRES DE LA *GRANDE POMOLOGIE* POSÉES SUR UN FAUTEUIL GARNI D'UNE TAPISSERIE BRODÉE PAR COLETTE.

la lenteur ». Elle prend le temps et de sélectionner ses nourritures et de s'en délecter. L'art de la dégustation devient alors un moyen de savourer le présent, de savourer le temps : ses sens lui permettent d'accéder à des parcelles d'éternité.

Ainsi transposée, la gourmandise s'érige en principe et s'élève à la dimension philosophique. Elle devient sagesse, moyen de connaissance et de vérité, art de vivre, d'écrire et de penser.

Colette et la gourmandise forment alors un couple qui s'entend « à gaspiller, sagement, le temps ».

«Si vous n'êtes pas capables d'un peu de sorcellerie,
ce n'est pas la peine de vous mêler de cuisine.»
PRISONS ET PARADIS, 1932.

LES CAHIERS DE

RECETTES

DE COLETTE

UNE VÉRITABLE ENQUÊTE

Après avoir passé une année auprès de l'écrivain, Claude Chauvière comprit la vive qualité de sa gourmandise et l'enjoignit, dès 1931, d'écrire «un livre de cuisine ou un guide gastronomique». Quelques années plus tard, Germaine Beaumont partageait ce même sentiment et regrettait que Colette n'ait jamais écrit de «manuel pratique» : «*Beaucoup de femmes, beaucoup d'hommes aussi, pourraient le consulter avec fruit ; ils y trouveraient l'andidote que réclame une humanité impatiente, lésée en tout, incapable de se créer, par le simple exercice de l'observation et de la raison, de bienheureux îlots de bien-être, des refuges de quiétude et de détente*» (G. Beaumont, *Colette par elle-même*, 1951).

Nous avons voulu essayer d'exaucer ce vœu et de recréer un cahier tel que Colette aurait pu le composer elle-même avec ses recettes de cuisine mais aussi ses secrets de beauté ou de santé. Cette recherche nous entraîna pendant plus de deux ans dans le tourbillon d'une véritable enquête. Après une lecture assidue de son œuvre et de ses correspondances, nous avons réparti en fichiers plus de deux mille citations sur ce thème. Il nous fut possible alors d'esquisser un portrait de sa gourmandise mais il nous manquait la caution d'un témoignage important. Nous nous sommes donc mis en quête de personnes qui avaient côtoyé Colette et, après bien des péripéties, nous avons découvert dans une petite maison de banlieue le témoin principal, Pauline, sa cuisinière, âgée aujourd'hui de quatre-vingt-neuf ans. Elle a bien voulu nous recevoir aussi souvent que nécessaire et nous avons soumis à son approbation nos propos ainsi que la liste de nos recettes. Avec beaucoup de patience et de compréhension, elle a répondu à nos questions et nous a confié quelques précieux secrets sur le quotidien de son ancienne maîtresse qui nous ont permis d'enrichir nos carnets de détails authentiques.

La difficulté était grande de reconstituer la table de Colette car aucun de ses héritiers ne possédait encore des pièces de ses services ou de sa verrerie. Pauline, qui les avait tenus entre ses mains tous les jours pendant plus de quarante ans, nous a décrit les nappes de couleur, les verres-gobelets, les assiettes vertes en feuilles de vigne, la porcelaine à petites fleurs bleues et l'argenterie ornée de la couronne du baron de Jouvenel. Nous lui avons apporté de vieux catalogues des arts de la table dans lesquels elle a su parfaitement nous défi-nir la table de l'écrivain. Notre persévérance s'est trouvée ensuite récompensée car nous avons eu la chance de rencontrer de providentiels collectionneurs qui possédaient encore au fond de leurs placards des objets que Colette avait offerts à des membres de leur famille... Les autres objets usuels présents sur nos photos lui appartenaient également ; ils font partie de la donation Bertrand de Jouvenel pour la constitution du Musée Colette de Saint-Sauveur-en-Puisaye qui ouvrira ses portes en 1991 et où vous pourrez les retrouver.

Quant au texte des recettes, il a été assemblé comme un puzzle et recomposé scrupuleusement en accord avec l'époque et le goût de l'écrivain. Là où Pauline ne pouvait se souvenir de tous les détails, notre large jeu de citations nous a permis en regroupant les termes, en les analysant et en consultant des ouvrages de l'époque, de retrouver exactement ce qu'aimait Colette. Ainsi, par exemple, dans la recette des fondants verts à la pistache, le fondant pouvait aussi bien désigner un bonbon que le dessus d'un gâteau. Mais dans une citation, Colette précisait qu'elle louait les confiseurs qui n'avaient pas d'imagination car ils continuaient toujours à lui fournir les fondants de son enfance ; ainsi, il s'agissait d'une confiserie. Ces bonbons étaient donc «fondants» mais ailleurs, dans une lettre, elle précisait qu'ils étaient également « râpeux » sur la langue. Cet infime détail, qui peut sembler à d'aucuns insignifiant, nous a permis d'ajouter une enveloppe de sucre cristallisé, qui, comme il était de mise au début du siècle, couronnait ce type de bonbon. Voici, choisi parmi plus d'une centaine, un exemple de notre cheminement de pensée.

Dernières précisions : pour ne pas surcharger la lecture, nous avons mêlé les proportions au texte de la recette. Elles ne sont, volontairement, pas séparées car il ne s'agissait pas ici de composer une fiche technique stricte et impersonnelle mais bien de restituer l'atmosphère du goût chez Colette. Pour cette même raison, nous n'avons pas voulu répéter le nombre de personnes pour lequel la recette est prévue : elle s'entend, en général, pour six convives.

Nous espérons que vous prendrez autant de plaisir à lire, à regarder et à goûter ces mets que nous en avons pris à construire ce recueil, recette après recette, tel un véritable roman gourmand.

PAIN ET SOUPES

COLETTE BEURRE «CONFORTABLEMENT»
UNE LARGE TARTINE : LE GRAS EST POUR ELLE
UNE «CHALEUR», UNE «FÉLICITÉ VITALE».
PAGES PRÉCÉDENTES : COLETTE CUISINIÈRE,
PHOTOGRAPHIÉE PAR ROGER SCHALL.
«NOUS MANGEONS BEAUCOUP DE PAIN, ICI.
ET NOUS LE FLAIRONS AVANT DE LE MANGER
TANT SON ODEUR EST ÉMOUVANTE, LOYALE,
LOIN DE L'AIGRE, PROCHE DU FROMENT
ET DU SEIGLE. BON PAIN GRIS, FERME,
QUI TIENT LES DENTS PROPRES...»
JOURNAL À REBOURS, 1941.

Une tourte de pain bis

« La gourmandise est plus modeste, plus profonde aussi. Elle est d'essence à se contenter de peu. Tenez, hier matin, j'ai reçu de la campagne, par avion...
— J'en ai l'eau à la bouche !
— Oh ? ce n'est sûrement pas ce que vous croyez, ma gourmandise remonte à des origines rustiques, car c'était une tourte de pain bis de douze livres, à grosse écorce, la mie d'un gris de lin, serrée, égale, fleurant le seigle frais, et une motte de beurre battu de la veille au soir, qui pleurait encore son petit-lait sous le couteau, du beurre périssable, point centrifugé, du beurre pressé à la main, rance deux jours après, aussi parfumé, aussi éphémère qu'une fleur, du beurre de luxe...
— Quoi, une tartine de beurre !
— Vous l'avez dit. Mais parfaite. »

A PORTÉE DE LA MAIN, 1949.

D ans une grande jatte en terre, délayez 25 cl de levure de boulanger dans 40 cl d'eau. Versez en pluie fine 400 g de farine de type 55, mélangez, couvrez et laissez votre levain se développer dans un endroit frais. Sur votre levain mousseux, ajoutez 1 kg de farine de même type, 100 g de farine de seigle et 1 cuillère à potage de son de blé. Couvrez de 30 cl d'eau et travaillez votre pâte pendant une dizaine de minutes. Ajoutez alors 25 g de sel et continuez à travailler votre pâte encore cinq minutes.

Ramassez votre pâte en boule. Couvrez d'un linge et laissez-la pousser

pendant 3 heures. Si elle est trop importante, rompez la pousse en soulevant la pâte d'un large mouvement circulaire.

Coupez votre pâton en morceaux de 600 g environ et façonnez 4 boules. Rangez-les sur une plaque farinée. Recouvrez-les d'une mousseline humidifiée et laissez-les se développer à température ambiante.

Chauffez votre four à 220° et prévoyez dans le fond une plaque à rôtir creuse vide. Juste avant d'enfourner, retirez l'étamine, fleurez vos pains de farine de seigle et incisez au rasoir la surface de chacun. Emplissez d'eau la plaque à rôtir, enfournez et refermez rapidement votre four.

La vapeur ainsi provoquée est indispensable à la bonne cuisson du pain et lui donne cette croûte bien dorée.

Laissez cuire 35 minutes avant de les sortir. Rangez vos tourtes à la chaude odeur sur une grille et laissez-les refroidir avant de les entamer.

«Fleurer» est un terme technique qui désigne en boulangerie et en pâtisserie le fait de poudrer de farine un plan de travail, des bannetons ou la surface des pains. Il existe même à cet effet une farine spéciale dite de «fleurage».

Soupe de lait
aux radeaux de pain rôti

« L'époque et la région étaient encore frugales, infractions consenties aux grandes noces, aux baptêmes et aux repas de première communion, aux hécatombes de petit gibier. La soupe de lait sucrée-salée-poivrée (un dé de beurre frais et des radeaux de pain rôti jetés au dernier moment dans la soupière), je n'ai pas cessé de lui être fidèle. »

CES DAMES ANCIENNES, 1954.

Émincez finement 3 blancs de poireaux que vous ferez compoter sans les colorer dans une noix de beurre. Versez sur les poireaux 1,5 l de lait froid et ajoutez 3 pommes de terre taillées en morceaux. Salez légèrement, ajouter 2 morceaux de sucre et quelques tours de moulin à poivre. Laissez cuire à petite ébullition pendant 30 à 40 minutes afin que les pommes de terre écrasées dans le lait par la cuisson donnent un aspect crémeux à cette soupe.

Coupez 2 à 3 fines tranches de pain par personne. Dorez-les dans une poêle graissée à moitié avec du beurre et à moitié avec de l'huile. Egouttez-les bien et salez-les de sel fin. Versez la soupe de lait dans la soupière et rangez les radeaux de pain rôti agrémentés d'une noix de beurre frais qui flotteront sur sa surface.

Jean Guillermet eut l'idée de publier un *Almanach du Beaujolais* qui regroupait chaque année les événements de la région et où des écrivains connus ou non chantaient la gloire du vin de Beaujolais. Cette publication confortée par la venue de nombreux artistes tant littéraires qu'artistiques permit ainsi la création progressive d'une identité culturelle beaujolaise.

Soupe à l'oignon
caparaçonnée de gratin

Colette aimait réaliser la soupe à l'oignon telle que l'avait peinte Justin Godart, sénateur, ancien ministre et membre de l'Académie des Gastronomes, dans son article «Le petit quatre heures Beaujolais» paru dans L'Almanach du Beaujolais *dont elle était une fervente lectrice.*

Faites dorer au beurre 500 g d'oignons émincés finement. Laissez bien compoter et ajoutez 50 g de farine. Mélangez et ne faites colorer qu'à peine la farine. Versez sur ce roux 2 l de bouillon de volaille. Laissez frémir 1 heure. Épicez de sel et de poivre.

Découpez 2 flûtes de pain en rondelles et faites-les dorer au beurre. Habillez le fond d'une grande soupière de ces rôties, recouvrez de fromage de gruyère râpé, répartissez le lit d'oignons compotés que vous aurez égouttés. Recouvrez-les de croûtons et continuez ainsi jusqu'aux trois quarts de la hauteur de votre soupière.

Versez le jus ambré sur ce savant montage et parsemez la surface de fromage râpé. Laissez gratiner au four.

Au moment de servir, cassez un œuf entier dans chaque écuelle. Salez, poivrez et versez un trait de vin de madère. Battez un peu à l'aide d'une fourchette.

Au sortir du four, découpez la carapace de fromage et servez la soupe bouillante qui se mêlera à l'œuf et le cuira instantanément tandis que le madère prolongera la saveur douce-amère de l'oignon compoté.

Soupe au lard

De Castel-Novel, Colette invitait avec empressement Hélène Picard à venir manger la «soupe au lard» arrosée de cidre au «goût divin».
«Dans le lard pur réside une vertu, gîte une saveur qu'en vain je prêche au professeur René Moreau depuis des lustres, et desquelles Monselet a dit ce qu'il en fallait dire.»

CES DAMES ANCIENNES, 1954.

Faites revenir une livre de lard salé, 2 carottes et 2 oignons émincés avec une feuille de laurier, une branche de thym, un clou de girofle et quelques grains de poivre. Mouillez avec 2 à 3 l d'eau. Ajoutez un petit chou frisé et 300 g de haricots de Soissons que vous aurez laissé tremper quelques heures auparavant. Laissez mijoter pendant 3 heures environ.

Au moment de servir, coupez de larges tranches de pain de campagne que vous faites griller et «trempez la soupe», c'est-à-dire, versez le bouillon sur le pain. Prévoyez une deuxième assiette à côté et servez les légumes et «ces cubes de lard pur, ourlés à peine de rose».

La poétesse Hélène Picard (1873-1945), couronnée par l'Académie française, collabora avec Colette à la direction littéraire du journal *Le Matin*. De ses poèmes à peine séchés, elle enveloppait une part de gâteau ou de fromage qu'elle glissait subrepticement dans le sac de Colette. L'amitié les rassemblait souvent dans le petit appartement «azur» d'Hélène — bientôt tapissé des lettres bleues de Colette — «où cette ascète gourmande filtrait le café comme personne, cuisait comme personne un petit cassoulet de couennes qui nous servait de plat de résistance» car elle portait «à tout ce qu'elle faisait les façons aimables, l'obligeance et la minutie de la province française». Colette veilla avec discrétion mais constance sur la vie matérielle de celle qui avait choisi «ces trois sommets» : «chasteté, fierté et pauvreté».

HORS ~ D'OEUVRE

CREVETTES BOUQUETS
QUI «CLAQUENT LA QUEUE».

Crevettes bouquets

Debout sur les rochers qui enserrent la plage de Rozven, Colette pêchait, dans les trous à l'eau verte, des crevettes barbues qui, intriguées par la présence du havenet, le tâtaient du bout de leurs pattes translucides avant de sombrer dans son filet, levé à point par un hardi coup de poignet.

D ans une casserole, faites frissonner de l'eau de mer. Mettez les crevettes «en agate» à cuire pendant 2 minutes.
On peut prévoir 150 g de crevettes bouquets par personne que l'on dégustera comme Colette en «aveuglant» de beurre salé tous les «yeux» de larges tranches de pain de campagne.

Sardines farcies

Dans La Naissance du jour, *dont l'action se passe en Provence, l'héroïne, qui figure Colette, propose à son ami Vial de se joindre à son déjeuner composé de sardines farcies.*

Ô tez la tête de 30 sardines et ouvrez-les sur un côté. Videz-les et retirez l'arête centrale. Rincez à l'eau claire. Égouttez sur un linge. Faites blondir au beurre 100 g d'échalotes puis 500 g de champignons blancs hachés finement. Salez. Desséchez en remuant avec une spatule en bois. Liez votre farce avec 2 jaunes d'œufs, 2 cuillerées de crème fraîche, un filet de jus de citron. Aromatisez avec 3 cuillerées d'herbes fraîches «dans leur gloire d'odeurs» : cerfeuil, persil, estragon, ciboulette.

Gavez les sardines de cette farce. Rangez-les en quinconce dans un plat beurré. Arrosez d'un verre de vin blanc sec et mettez à cuire à four vif pendant 3 minutes.

Fouettez le jus de cuisson avec 200 g de beurre. Rectifiez l'assaisonnement. Voilez vos sardines farcies de cette sauce et saupoudrez-les du reste d'herbes fraîches.

Sandwich aux sardines

« Les jours attendris ne manquent pas, dès février. Nous prenions nos bicyclettes, un pain frais bourré de beurre et de sardines, deux "friands" feuilletés à la saucisse, acquis chez un charcutier près de La Muette, et des pommes, le tout ficelé au long d'une gourde clissée, pleine de vin blanc... Pour le café, nous le buvions du côté de la gare d'Auteuil, bien noir, bien insipide, mais brûlant, et sirupeux à force de sucre...
Peu de souvenirs me sont restés aussi sentimentaux que celui de ces repas sans couverts ni nappe, de ces promenades sur deux roues. »

« LA LUNE DE PLUIE, IN CHAMBRE D'HÔTEL, 1940.

COLETTE ASSISE SUR LE PRÉ DE MER « RAS ET SALÉ » FLEURI DE SCABIEUSES.

Défaites les filets d'une vingtaine de sardines. Salez, poivrez. Cuisez les chairs dans un jus de citron et laissez mariner pendant 30 minutes. A l'aide d'une fourchette, émiettez les filets avec 200 g de beurre pommade.

Tartinez quelques tronçons de baguette bien croustillante avec ce beurre de sardines.

Harengs marinés

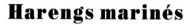

« Tu sauras, mon petit Luc, que nous eûmes, à déjeuner, du gros crabe tourteau, de la crevette rose, des bigorneaux, des palourdes ruisselantes de leur eau fraîche (les petites huîtres, nous les mangeons à goûter), des rillettes-maison, des harengs-maison à peine salés, des petites mulets grillés... Le reste, on s'en foutait pas mal. D'autant plus que le beurre salé coule à pleins bords. »

C. À L.-A. MOREAU, 1930.

Pour 12 à 15 harengs frais, préparez une marinade composée de 75 cl de vin blanc sec, 30 cl de vinaigre de vin blanc, un citron et une carotte cannelés coupés en fines rondelles, un oignon coupé en rouelles, 2 feuilles de laurier, 12 branches de thym, un clou de girofle, 20 g de gros sel, un morceau de sucre, quelques grains de poivre et quelques branches de persil plat. Faites bouillir le tout à l'avance pour une meilleure diffusion des arômes.

Dans une terrine beurrée, rangez les harengs bien nettoyés. Versez dessus la garniture et le liquide porté à ébullition. Cuire la terrine au bain-marie dans un four préchauffé à 200° pendant 10 minutes.

Gardez vos harengs marinés au frais 24 heures avant de les consommer.

En 1944, Colette confie à Marguerite Moreno que son plus cher souhait est de pouvoir manger à satiété. Deux plats surtout lui font particulièrement envie : un bœuf mode et des harengs marinés. Elle adorait aussi les harengs saurs qu'elle accompagnait, à la stupeur générale de ses convives, d'un aristocratique sauternes. Henri Béraud, gastronome émérite, pris à partie lors d'un dîner sur ce choix surprenant, reconnut que l'alliance était judicieuse et que Colette avait entièrement raison...

CHARCUTERIES

Cervelas marbré

Made Guillermet envoyait souvent du cervelas truffé à son amie parisienne en souvenir de son séjour en Beaujolais. Elle accompagnait ses envois de petits mots précisant les modalités d'accommodement et le temps de cuisson. Pour le cervelas, il faut 35 minutes.

Préparez une chair à saucisse en hachant grossièrement 500 g d'épaule et de gorge de porc avec 400 g de lard gras. Assaisonnez de 40 g de sel, 5 g de poivre et 1 g de macis. Ajoutez 150 g de truffes fraîches en miettes et mélangez le tout ensemble.

Mettez à tremper dans de l'eau 2 m de boyaux de porc. Embouchez la chair à l'intérieur du conduit sur une longueur de 30 cm puis nouez les extrémités. Laissez rassir vos cervelas 48 heures dans un endroit frais.

Pochez votre cervelas marbré 35 minutes dans une eau salée aromatisée d'un bon bouquet garni.

Il se mange tiède accompagné d'une salade de pommes de terre ou se mêle à la cuisson d'un chou qu'il agrémente. On peut aussi le manger froid, tout simplement.

PAGE DE DROITE : LA CUISINE BLEUE DE ROZVEN ET SON FOUILLIS DE CHARCUTERIES BRETONNES, FLEURIE D'UN BOUQUET DE MYOSOTIS CUEILLI AU PASSAGE SUR LE CHEMIN DU RETOUR.

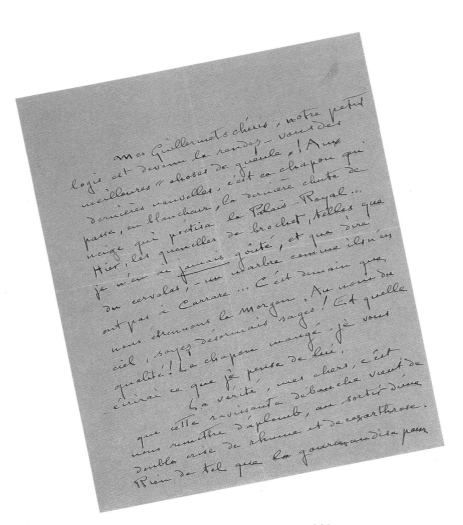

LA BOULE DE POULET ET SON
« ŒIL NOIR » DANS UNE ÉTAMINE ENCORE
LUSTRÉE DES SUCS DE CUISSON GÉLIFIÉS.

La boule de poulet

« Je suis née dans un pays de province où l'on gardait encore, comme le secret d'un parfum ou d'un onguent miraculeux, des recettes que je ne trouve dans aucun Codex culinaire. On les transmettait de bouche à oreille, à l'occasion d'une fête carillonnée, le jour du baptême d'un premier-né, d'une "confirmation". Elles échappaient, pendant le long festin de noces, à des lèvres desserrées par le vieux vin : ainsi ma mère reçut en confidence la manière de préparer certaine "boule" de poulet, projectile ovoïde cousu dans une peau de poule désossée. Comment recomposer maintenant le secret de cette "boule" débitée, sur la table, en larges tranches rondes où brillaient l'œil noir de la truffe, la verte fève de la pistache ? »

PRISONS ET PARADIS, 1932.

Désossez complètement, sans percer la peau, un poulet de 2,5 kg. Retirez les filets pour les hacher avec 150 g d'un talon de jambon blanc, 150 g de gorge de porc, 250 g de chair de veau, 200 g de lard gras, 250 g de chair à saucisse. Assaisonnez avec 30 g de sel et de poivre, liez la farce avec un œuf et aromatisez avec 100 g de pistaches et 8 cl de marc de pays.

Étendez sur votre table un linge mouillé. Posez dessus la volaille désossée. Étalez la farce. Tracez un petit sillon sur toute sa longueur. Comblez-le de truffes puis refermez la farce sur lui. Rabattez l'un sur l'autre les côtés de la volaille et cousez grossièrement à l'aide d'une aiguillée de cordelette à rôtir. Enveloppez la boule de volaille farcie dans un linge et ficelez les deux extrémités.

Mettez à cuire la ballottine dans un bouillon de viande frémissant pendant 2 heures. Une fois refroidie, resserrez chaque extrémité du torchon et conservez au frais une nuit avant de la développer.

Servez-la accompagnée de sa cuisson prise en gelée et d'une bonne salade verte mélangée arrosée d'huile de noix.

Le foie gras de Marguerite Moreno

« Quels bienfaits n'ai-je pas reçus d'un logis de Moreno place Pereire, en un temps où j'avais grand besoin de secours moral et n'en acceptais que de Marguerite... Je gravissais l'escalier, je sonnais à l'entresol. Il me souvient d'un coffre espagnol revêche, d'une table ronde, d'un couvert que bousculaient des livres, des livres que refoulaient un robuste fromage, un foie gras ou une charcuterie venus du Lot... Le soleil était du bon côté. La tarte aux prunes venait de la pâtisserie contiguë. "Prends une assiette, Macolette. — Je n'ai pas faim. — Si, tu as faim, prends une assiette. Ce que tu as, ça se soigne par la nourriture. Assieds-toi. Je vais te raconter ma vie et mes miracles."»

LE FANAL BLEU, 1949.

Avec un foie gras de canard de 500 g environ, on peut garnir une petite terrine. Fendez dans le sens de la longueur l'intérieur des deux lobes et retirez délicatement le nerf principal avec la pointe d'un couteau en vous efforçant de ne pas casser le foie. Salez, poivrez, arrosez de quelques cuillerées de bon cognac et de vin doux naturel. Laissez mariner pendant 12 heures.

Égouttez le foie avant de le ranger dans la terrine. Versez dessus à couvert de la graisse d'oie chaude. Faites cuire au bain-marie dans un four à 180° pendant 15 minutes.

Égouttez le foie à nouveau. Décantez la graisse à l'aide d'une petite louche. Mettez le foie à refroidir dans sa terrine.

Quand il est devenu ferme, coulez une bonne épaisseur de graisse, laissez prendre puis finissez avec une couche de saindoux fondu.

On peut garder ce foie gras jusqu'à 3 semaines à une température de 2 à 3°.

Colette voyait dans la célèbre comédienne Marguerite Moreno (1871-1948) une sorte de double ; c'est dire combien elle estimait leur amitié. La créatrice de *La Folle de Chaillot* était aussi une gourmande invétérée : son « loyal appétit » prisait tout particulièrement le foie gras qu'elle faisait venir de sa propriété de Touzac dans le Lot et que Colette lui commandait avec quelques kilos de conserves de cochon ou de confits d'oie.

Ce pâté de grives peut être servi froid ou chaud. Si on choisit de le déguster chaud, il devient un plat principal et se sert accompagné d'une sauce au vin rouge aromatisée à partir d'un fumet de gibier que l'on additionne au dernier moment de quelques baies de sureau, ces « trésors humbles de l'automne ».

Pâté de grives aux baies de sureau

« Elle aimait les animaux comme on sait, mais ne s'embarrassait pas de sensiblerie lorsqu'il s'agissait d'ortolans. Combien en ai-je désossés pour elle, et des becfigues et des alouettes, et des cailles et des grives ! En dehors des tourtes dont j'ai parlé — elle en appréciait le goût et "l'aimable spectacle" — elle aimait les pâtés sous toutes leurs formes. Le pâté de grives avait peut-être sa préférence, à cause de l'amertume de ce gibier lorsqu'il est gavé de graines de sureau. J'accentuais parfois l'amer des foies sauvages en multipliant ces derniers. »

RAYMOND OLIVER, ADIEU FOURNEAUX, 1984.

Désossez complètement 6 grives. Pour les garnir, préparez une farce dite « farce à gratin » pour gibier composée de 125 g de poitrine de porc entrelardée, 125 g de chair de lapin, 125 g de foies de volailles et de grives. Hachez séparément les 3 éléments avant de les faire revenir au beurre dans un sautoir.

Pilez les chairs avant de les rassembler à nouveau dans le sautoir accompagnées cette fois de 50 g de champignons et 10 g de truffe fraîche. Assaisonnez de 30 g de sel, poivre, noix de muscade, clou de girofle et baies de genièvre.

Ajoutez 10 cl de porto blanc et 10 cl de jus de viande corsé. Laissez étuver 3 minutes puis ajoutez 100 g de foie gras coupé en dés et deux jaunes d'œufs. Dans la farce fine une fois refroidie, dispersez 100 de baies de sureau bien noires.

Foncez une pâte à tarte dans un moule à pâté. Garnissez tout d'abord avec un tiers de farce fine, rangez ensuite dessus les grives farcies et reconstituées, tenues par des lanières de lard et recouvrez-les avec le reste de la farce. Fermez le pâté avec une abaisse de pâte et soudez le bord en pinçant la pâte entre vos deux doigts.

Confectionnez 2 cheminées en papier sulfurisé dont vous trouerez le dessus du pâté afin que toute l'humidité puisse bien s'échapper.

Cuisez à four moyen (170°) pendant 1 h 15. A la sortie du four, versez dans les cheminées 25 cl de gelée parfumée bien liquide et dorez la pâte avec un œuf battu.

Le «pathérèse»

Colette avait ainsi baptisé le pâté de campagne préparé par Thérèse Sourisse, la «petite fermière», et affirmait, dans un élan enthousiaste, que si elle savait faire des pâtés aussi bons, elle abandonnerait aussitôt le métier d'écrivain pour faire fortune dans la charcuterie...

Hachez moyennement 600 g d'épaule de porc et 400 g de gras de porc. Dans une poêle beurrée, saisissez 300 g de foies de volailles hachés grossièrement. Laissez-les refroidir avant de les mélanger avec le porc. Ajoutez alors 5 cl de cognac, 5 cl de porto, 4 œufs entiers, 35 g de sel épicé de poivre et de noix de muscade.

LES «PETITES FERMIÈRES» DE NANTES, YVONNE BROCHARD ET THÉRÈSE SOURISSE, PROVIDENTIELS «ANGES NOURRISSEURS», APPROVISIONNÈRENT COLETTE DURANT LES ANNÉES 40 DE COLIS AUSSI VARIÉS QUE SUCCULENTS. COLETTE SALUAIT CHACUN DE LEURS ENVOIS D'UNE LETTRE BLEUE PLEINE DE GRATITUDE ET D'ALLÉGRESSE.

Garnissez 2 terrines tapissées de bardes de lard. Recouvrez avec des lanières de lard ornées d'une feuille de laurier. Cuisez au bain-marie pendant 30 minutes dans un four à 180°.

Attendez 3 à 4 jours avant de les entamer car elles seront meilleures un peu rassises.

ENTRÉES

Artichauts frits à l'italienne

« Comme je ne parlais pas la langue du pays, je visitais mal la Ville Éternelle, et plus mal ses musées d'où je sortais écrasée et timide, rouée de chefs-d'œuvre. Je me nourrissais à des restaurants assez modestes, et celui de la Basilica Ulpia eut toujours de quoi me contenter, dès qu'il eut à me fournir, outre l'assiettée de pâtes, un monceau quotidien de petits artichauts nouveaux, saisis dans l'huile bouillante et raides comme des roses frites. »

FLORE ET POMONE, 1943.

Défaites 3 bottes de petits artichauts nouveaux dont le fond ne sera pas plus gros qu'une noix. Brisez leur tige et retirez la première couronne de feuilles. Lavez les artichauts dans une eau vinaigrée. Égouttez-les soigneusement. Chauffez 2 l d'huile d'arachide à 180°.

Saisissez les artichauts pendant 4 minutes pour qu'ils soient juste raidis. Égouttez-les sur une serviette, salez de sel fin et croquez-les simplement arrosés d'un jus de citron.

Colette séjourna plusieurs mois à Rome en 1917 où son deuxième mari, Henry de Jouvenel, était en mission diplomatique.

COLETTE ET HENRY DE JOUVENEL
À ROME EN 1917.

Truffes en papillote
à la croque-au-sel

RECETTE ORIGINALE DE COLETTE

« Trop chère pour nous, la truffe du Périgord cédait la place, l'hiver, à la truffe de Puisaye qui est grise, à peu près insipide, et dont le parfum abuse l'ignorant. Mais, grise ou noire, enfermez la truffe, brossée, dans une papillote de papier huilé, glissez-la, au devant du feu, dans une taupinière de cendre très chaude. Égrenez, au sommet du tumulus minuscule, de menues braises — l'inspiration, la légèreté de main aidant, vous exhumerez, une demi-heure plus tard, des truffes pour la croque-au-sel. »

PRISONS ET PARADIS, 1932.

Enveloppez chaque truffe d'une petite barde de lard et humidifiez légèrement le papier afin d'éviter sa détérioration trop rapide sous la chaleur. Quelques tranches de pain de campagne grillées et beurrées de frais et une coupelle de gros sel seront les compagnons appréciés de ces truffes en papillote.

Truffes périgourdines « à la Colette »

RECETTE ORIGINALE DE COLETTE

« Elle ne vous donnera pas, une fois étrillée, grand-peine ; sa souveraine saveur dédaigne les complications et les complicités. Baignée de bon vin blanc très sec — gardez le champagne pour les banquets, la truffe se passe bien de lui — salée sans excès, poivrée avec tact, elle cuira dans la cocotte noire couverte. Pendant vingt-cinq minutes, elle dansera dans l'ébullition constante, entraînant dans les remous et l'écume — tels des tritons joueurs autour d'une noire Amphitrite — une vingtaine de lardons, mi-gras, mi-maigres, qui étoffent la cuisson. Point d'autres épices ! Et "raca" sur la serviette cylindrée, à goût et relent de chlore, dernier lit de la truffe cuite ! Vos truffes viendront à la table dans leur court-bouillon. Servez-vous sans parcimonie ; la truffe est apéritive, digestive. »

« Ne mangez pas la truffe sans boire. A défaut d'un grand ancêtre bourguignon au sang généreux, ayez quelque Mercurey ferme et velouté tout ensemble. Et buvez peu, s'il vous plaît. On dit, dans mon pays natal, que pendant un bon repas, on n'a pas soif, mais bien "faim de boire". »

PRISONS ET PARADIS, 1932.

Colette eut l'occasion de « chasser » elle-même la truffe dans le Lot tenant en laisse une petite truie, « une artiste en son genre ». Elle ne confiait à personne le soin de brosser les truffes fraîches — même pas à Pauline — et ne comptait pour ce travail minutieux que sur sa propre application manuelle. Elle préférait se priver de ces « gemmes de terre pauvre » plutôt que de ne pouvoir en manger suffisamment et méprisait ses « piètres » apparitions sous forme de rognures, de pelures, de hachis ou de lamelles. Elle l'aimait dans son simple appareil : « seule, embaumée, grenue » et... en « fastueuses portions » !

Cette recette pour les puristes des truffes fraîches est à réaliser avec celles que l'on trouve durant la deuxième quinzaine de février au terme de leur mûrissement après qu'elles ont subi les froids secs de l'hiver. On peut se régaler avec 40 g de truffes par personne, ou plus... Pauline nous a précisé que Colette voulait que les truffes arrivent sur la table dans la cocotte baignant encore dans leur jus parfumé. Une partie de cette sauce au vin blanc transformée en envoûtante liqueur ambrée était servie à part dans de petits verres à porto.

Foie gras à la casserole

Maurice Saurel avec lequel Colette aimait à disserter longuement de l'art de la dégustation lui offrit un jour un foie gras qui, pour satisfaire leur gourmandise, fut cuit «à la casserole».

Qui aurait pu imaginer que Colette avait surnommé «sorcier» et «parpaillot» un des plus brillants industriels du XXᵉ siècle, Maurice Saurel (1877-1953), fondateur de la Compagnie des lampes Mazda puis président de Thomson-Houston? La dame du Palais-Royal et son «saurelami» se retrouvaient souvent autour de la «Table Ronde», sous la verrière de la salle à manger où leur amour commun de la bonne chère les entraînait à deviser sur la subtilité de telle ou telle saveur.

Choisissez un foie gras de canard bien ferme de 500 g. Assaisonnez-le tout autour. Faites-le dorer au beurre dans une casserole de terre bien chaude, puis ajoutez un grand verre de vin blanc liquoreux et 0,5 l de fond de canard. Attendez le frémissement du bouillon avant de recouvrir d'un couvercle.

Mélangez 200 g de farine et 10 cl d'eau. Façonnez un boudin d'une longueur suffisante pour coller le couvercle à la casserole. Mettez au four chauffé à 130° votre casserole ainsi lutée pendant 45 minutes.

Brisez le pêne de pâte durcie devant vos convives. Découpez le foie qui aura ainsi conservé toute sa saveur et arrosez-le de son jus de cuisson.

Champignons à la crème

«Dîné chez les Girod avec M. de Segonzac, Mme Bousquet, Colette, Paul Morand, Marie Laurencin. [...] Quand on servit des champignons à la crème, elle s'écria: "C'est du billard!" — mot, disait-on, de commis-voyageur. [...] Elle se complut à raconter en détail des recettes de cuisine.»
JOURNAL DE L'ABBÉ MUGNIER, 1924.

Nettoyez en évitant de les laver pour préserver tous leurs parfums de terre fraîche quelques mousserons, des rosés des prés, des girolles et de blancs pieds de mouton, «rosé[s] dans [leur] conque comme un coquillage». Poêlez séparément chaque variété dans un beurre mousseux juste pour les saisir mais surtout sans les ramollir.

Égouttez les champignons après chaque cuisson et conservez bien l'eau de végétation qu'ils auront dégagée.

Dans une sauteuse, faites suer au beurre 2 cuillerées d'échalotes hachées. Mouillez avec le jus des champignons et ajoutez 50 cl de crème fraîche. Laissez bouillir jusqu'à obtenir une consistance bien onctueuse.

Enrobez vos tendres champignons blancs de la crème réduite. Salez à souhait et parsemez d'un bottillon de ciboulette ciselée.

Œuf mollet au vin rouge

« D'où me vient ce goût violent du repas des noces campagnardes ? Quel ancêtre me légua, à travers des parents si frugaux, cette sorte de religion du lapin sauté, du gigot à l'ail, de l'œuf mollet au vin rouge, le tout servi entre des murs de grange nappés de draps écrus où la rose rouge de juin, épinglée, resplendit ? »

LA MAISON DE CLAUDINE, 1922.

Faites réduire aux deux tiers le contenu d'une bonne bouteille de vin rouge avec une poignée d'échalotes émincées, 4 gousses d'ail, quelques grains de poivre concassés, une petite feuille de laurier, une autre de sauge et une brindille de thym.

Liez votre sauce avec 10 g de beurre manié à 10 g de farine. Ajoutez 50 cl de jus de viande et un morceau de sucre pour retirer l'acidité. Mollez une douzaine d'œufs 6 minutes à l'eau bouillante.

Dans un plat, disposez vos œufs écalés sur de fines tranches de pain dorées au beurre et nappez de la sauce « pourprée », montée au beurre, assaisonnée et passée au tamis.

Colette réclamait souvent à Sido cette spécialité bourguignonne : un œuf mollet noyé d'une onctueuse sauce au vin rouge, « une espèce de matelote pourprée ».

Chou farci à l'hysope

Pauline préparait pour Colette un « délectable chou farci » parfumé à l'hysope. *« Une hysope, Monsieur, je crois que c'est une hysope, cette ramille déjà sèche et encore odorante, presque aussi délicate que les cristaux de la neige. [...] Partie du camphre pur, sa senteur traverse deux ou trois parfums chastes légèrement capsicants, comme la lavande et le romarin, avant d'aboutir à... eh ! mon Dieu, à l'hysope. Hysopo et mundabor... [...] acceptez donc pour hysope la petite plante de bonne odeur, et moi je la tiens pour un des présents qui s'envolent d'une lettre, roulent hors d'une feuille de chou, d'une boîte à produit pharmaceutique, bref, un de ces présents sur lesquels je ne me blase pas. »*

LE FANAL BLEU, 1949.

Pour 6 à 8 personnes, faites blanchir un gros chou de Milan pendant 8 minutes à l'eau bouillante. Le rafraîchir et l'égoutter. Dans une cocotte en fonte, faites suer un gros oignon haché puis ajoutez 2 cuillerées à potage de feuilles d'hysope concassées, 500 g de chair à saucisse et émiettez 2 cuisses de canard bien cuites.

A plat sur une étamine, ouvrez le chou feuille à feuille. Enlevez son cœur et remplacez-le par votre farce. Reformez le chou et enserrez-le dans l'étamine que vous ficelez.

Dans la cocotte, faites revenir un fond de braisage composé de carottes, d'oignons et de céleri avec une couenne de lard et une tête d'ail. Posez le chou, arrosez-le d'un bon litre de bouillon. Laissez cuire à four moyen pendant 2 heures.

En fin de cuisson, débarrassez le chou farci dans un plat creux de service, faites réduire le jus de cuisson, passez-le et nappez. Parsemez votre plat de quelques feuilles d'hysope.

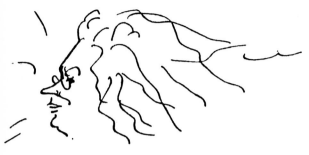

On confond souvent les tripes et le gras-double. Ce dernier n'est simplement que la membrane double de l'estomac du bœuf alors que dans un plat de tripes « à la mode de Caen » vous le trouverez accompagné de panse, bonnet et caillette, parties internes de l'abdomen du bœuf, mélangées à l'indispensable pied de bœuf.

Gras-double

Colette invite Misz et Léopold Marchand en 1923 à « une ribouldingue d'employé aux postes ». Au menu, « quelque chose de coquet et de bourguignon » : andouillette et gras-double.

Rapportez de chez votre tripier 750 g de gras-double qu'il vient de cuire. Taillez-le en grosses lanières d'environ 6 cm de longueur sur 2 cm de largeur. Dans une poêle bien épaisse, faites fondre 50 g de graisse de veau à feu vif. Assaisonnez de sel et de poivre du moulin. Faites rissoler le gras-double sur toutes ses faces en remuant très souvent les morceaux.

Égouttez le gras de cuisson pour le remplacer par 80 g de beurre frais. Ajoutez 2 oignons hachés, 4 gousses d'ail pilées que vous faites bien dorer, puis 100 g de mie de pain fraîche.

Dès que la mie de pain est bien hâlée, dressez aussitôt dans un plat de service creux et parsemez de ciboulette.

Betteraves sous la cendre

« La betterave rouge peut profiter, après, du lit tout chaud, et embaumé par la truffe. Vous l'arroserez, à peine salée, mieux poivrée, d'huile d'olive, et vous l'accompagnerez d'un panache de céleri blanc. Et le vinaigre ? Vinaigrez, si vous y tenez, mais recourez au vinaigre de vin, qui est doux. »

PRISONS ET PARADIS, 1932.

Enveloppez 6 petites betteraves crues dans une feuille de papier sulfurisé huilé. Dans votre cheminée, posez le paquet dans son nid de cendres et disposez les braises tout autour sans qu'elles touchent le papier. Laissez cuire pendant 2 à 3 heures.

Retirez délicatement les betteraves du papier sec et cassant. Pelez l'enveloppe durcie et coupez-les en rondelles. Salez légèrement, poivrez selon votre goût, arrosez de trois cuillerées d'huile d'olive et d'une cuillerée de vinaigre de vin.

Mélangez vos betteraves à 3 poignées de salade de mâche sauvage et à quelques jeunes pousses de cœur de céleri-branche.

LETTRES SUR PAPIER-DENTELLE ADRESSÉES
À LÉOPOLD MARCHAND.

COLETTE RÉSERVAIT À SES MEILLEURS AMIS LE
PRIVILÈGE DE RECEVOIR CES PAPIERS DÉSUETS ET
CHARMANTS QU'ELLE CHINAIT AVEC PASSION
DANS TOUTES LES VIEILLES PAPETERIES.

PATES A FRIRE ET PATES AU FOUR

Cervelle en beignets

« Dans la salle à manger, qui n'était point monumentale mais basse, et soigneusement assombrie, une douzaine de petites tables égaillées, nappées de grosse toile basque, rassurèrent mon insociabilité. Point de beurre en coquilles, point de maître d'hôtel en frac noir-verdâtre, point de porte-bouquets parcimonieux contenant un anthémis, une anémone fatiguée, un brin de mimosa. Mais un gros dé de beurre glacé, et, sur la serviette pliée, une rose du rosier grimpant, une seule rose aux lèvres un peu roussies par le mistral et le sel, une rose que je serais libre d'épingler à mon sweater ou de manger en hors-d'œuvre. [...]

Entre les tables, Lucie, distraite, lasse et poudrée, portait l'omelette à la ciboule, la cervelle en beignets et la daube de bœuf. »

BELLA-VISTA, 1937.

Faites dégorger dans une eau froide vinaigrée 6 cervelles d'agneau pendant une nuit. Égouttez et épluchez. Mettez à frémir les cervelles pendant 5 minutes dans un court-bouillon aromatisé d'un jus de citron, thym, laurier, gros sel et grains de poivre.

Égouttez. Escalopez chaque lobe en deux. Mettez à mariner pendant 15 minutes dans un jus de citron parfumé d'herbes fraîches hachées : cerfeuil, estragon, persil plat et ciboulette.

Préparez une pâte à frire avec 125 g de farine bien fluide, 2 cuillerées d'huile d'olive et 2 dl d'eau froide. Laissez reposer 15 minutes puis incorporez deux blancs d'œufs montés en neige.

Enveloppez chaque escalope de cervelle de la pâte à frire, baignez dans l'huile chauffée à 180°, épongez dans une serviette, salez et poivrez.

Accompagnez ces beignets bien dorés de persil frit et d'une sauce tartare.

Beignets d'aubergines

Le jardin de la Treille Muscate fournit des aubergines « karagheuziennes » aussitôt transformées en beignets.

Escalopez 4 grosses aubergines en rondelles de 5 mm d'épaisseur. Frottez-les d'ail écrasé avant de les mettre à mariner quelques minutes dans 4 à 5 cuillerées d'huile d'olive salée et poivrée. Égouttez les aubergines. Passez chaque face dans la farine et tapotez-les du bout des doigts pour en faire tomber le superflu.

Trempez dans deux œufs battus bien mousseux. Jetez-les dans l'huile chaude (160°) et laissez dorer 3 minutes en les retournant de temps en temps. Égouttez-les sur une serviette et salez de sel fin.

Accompagnez ces aubergines croustillantes d'un jus de tomate frais, salé, poivré, juste tiédi et condimenté de vinaigre de vin.

Karagheuz est un personnage du théâtre de marionnettes de Constantinople qui tient le rôle d'un polichinelle truculent et souvent indécent.

PAGE DE DROITE : SUR UN PLAT DE RUBELLES, « VERT COMME UNE RAINETTE MOUILLÉE », LA « FROTTÉE D'AIL, ASSAISONNÉE DE GROS SEL ET ARROSÉE D'HUILE D'OLIVE, EN-CAS FAVORI DE COLETTE À LA TREILLE MUSCATE.

Cette coutume est encore vivante aujourd'hui à Saint-Sauveur et dans le village voisin de Moutiers. Tous les 24 juin, boulangers et particuliers préparent une galette au fromage blanc appelée là-bas le «fras» — qui vient du latin *fractus*, «cassé», «brisé», et désigne plus généralement dans les patois de l'Yonne toutes sortes de tourtes qui allient fromage, farine, œufs, beurre et sel à des substances hachées : épinards, pommes de terre ou potiron.

Cette galette aù fromage et à la crème est en fait l'équivalent bourguignon de la quiche lorraine et, à l'origine, les deux plats sont identiques, préparés sans lard ni jambon qui ne seront ajoutés seulement qu'à partir du siècle dernier.

Le fras, tel qu'il est encore servi de nos jours en Puisaye, est donc une survivance locale des très vénérables tourtes paysannes médiévales.

Galette au fromage de la Saint-Jean

«C'était hier et avant-hier la fête de la Saint-Jean, mais ce n'est pas comme à Saint-Sauveur où on fête la Saint-Jean en mangeant pendant huit jours ces galettes variées. Tu te souviens ? Et la galette au fro[mage] ? Rameau la faisait délicieuse et jamais plus, depuis notre départ de Saint-Sauveur, je n'en ai mangé. Tu sais que cette galette se fait avec du fromage frais, de la crème, du beurre et des œufs ?»

SIDO À C., 1908.

Sur votre marbre à pâtisserie, formez un puits au centre de 250 g de farine. Du bout des doigts, mélangez 125 g de beurre ramolli, 3 jaunes d'œufs, 5 cl de lait, une pincée de sel fin et incorporez progressivement la farine. Étirez votre pâton sur un cercle à tarte de 25 cm de diamètre et laissez-le reposer ainsi quelques heures.

Pour garnir votre fond de tarte, mélangez 300 g de fromage de vache fermier frais bien égoutté avec 20 cl de crème fraîche. Ajoutez un à un 3 œufs entiers. Assaisonnez de sel, poivre et noix de muscade. Recouvrez de copeaux de beurre enroulés sur la pointe de votre couteau.

Mettez à cuire dans un four préchauffé à 200° pendant 20 minutes. Il est important de servir la galette de la Saint-Jean au sortir du four, encore toute chaude et gonflée sous son dôme doré.

Tarte à la citrouille

«Une platée de fromage blanc, bien poivré, m'est déjeuner aussi bien que la tarte à la citrouille, que le gratin de poireaux. La tomate creusée, le gros oignon, la courge farcie de gras ou de maigre rivalisent avec l'entrecôte minute.»

DE MA FENÊTRE, 1942.

Préparez une pâte à moitié feuilletée en mélangeant rapidement 300 g de farine avec 250 g de beurre, 10 g de sel et 15 cl de lait. Laissez reposer une trentaine de minutes. Étirez la pâte en longueur et repliez-la sur elle-même en trois parties égales. Répétez cette opération à trois reprises puis laissez-la à nouveau se reposer pendant 30 minutes.

Garnissez un cercle à tarte, piquez le fond de la pâte avec une fourchette.

Faites chauffer une noix de beurre, deux cuillerées d'eau et un oignon émincé. Quand l'oignon est bien fondu, ajoutez 750 g de citrouille coupée en dés de 2 cm. Salez, poivrez. Laissez compoter 10 à 12 minutes et égouttez avant de remplir copieusement le fond de tarte. Décorez avec des entrelacs de rognures de pâte coupées en lanières, à la façon d'une vannerie. Dorez avec un œuf battu et mettez à cuire 30 minutes dans un four chauffé à 180°.

Au sortir du four, arrosez de crème fraîche chaude et épaisse.

La tarte aux épinards de Claudine

« Vous savez, c'est moi qui ai inventé le gril à chocolat, ce génial petit machin qu'on a fabriqué, nonobstant mes indications, avec un manche trop court. J'ai inventé aussi le peigne-à-carder-les-puces, pour Fanchette, la poêle sans trous pour griller les marrons l'hiver, l'ananas à l'absinthe, la tarte aux épinards (Mélie dit que c'est elle, mais c'est pas vrai), et mon salon-cuisine que voici. »

CLAUDINE S'EN VA, 1903.

Foncez un cercle à tarte avec des rognures de pâte feuilletée que l'on aura conservées de la confection d'un mille-feuille et piquez le fond avec la pointe d'une fourchette. Laissez reposer 1 heure. Enfournez pour une première cuisson la tarte recouverte de papier aluminium alourdi de lentilles ou autres fruits secs pour éviter à la pâte de se boursoufler. Laissez blanchir la pâte pendant 10 minutes.

Équeutez, lavez et égouttez une livre d'épinards nouveaux. Dans un sautoir, faites mousser une noix de beurre avec une gousse d'ail aplatie. Jetez les épinards crus. Assaisonnez d'une prise de sel fin et de noix de muscade râpée. Laissez fondre les épinards pendant quelques instants.

Versez-les dans le fond de tarte et remplissez avec un quart de litre de crème fraîche teintée de 2 jaunes d'œufs. Masquez de parmesan râpé et faites gratiner au four pendant 15 minutes.

STATUETTE «CLAUDINE» RÉALISÉE
PAR GEORGES COUDRAY.

Tarte à l'anchois

« Il fait bon voisiner avec la source, lui tendre un gobelet vide ou la panse d'une bouteille pleine, cependant qu'on ouvre le panier de figues violettes, qu'on débite en tranches la tarte à l'anchois. »

PRISONS ET PARADIS, 1932.

Pour obtenir une pâte à pain, délayez 5 g de levure de boulanger dans 25 cl d'eau puis incorporez 400 g de farine tout en travaillant le mélange pendant une dizaine de minutes. Ajoutez 10 g de sel puis laissez pousser une heure et demie à température ambiante.

Rompez la pousse de votre pâton avant de l'étirer au rouleau sur une plaque à pâtisserie rectangulaire.

Pressez 1 kg de tomates fraîches en purée. Desséchez-la dans un plat parfumé d'huile d'olive et d'ail «d'un blanc de jasmin» puis, refroidie, étendez-la sur la pâte à pain.

Quadrillez le dessus avec 30 anchois dessalés à l'eau claire et égouttés. Arrosez d'un filet d'huile d'olive et disposez quelques olives noires.

Attendez encore 1 heure la pousse du pain avant d'enfourner votre tarte aux anchois (180° pendant 20 minutes).

La tarte aux poireaux des sauvages

«Deux sauvages [les deux frères aînés de Colette] aux pieds légers, osseux, sans chair superflue, frugaux comme leurs parents, et qui préféraient aux viandes le pain bis, le fromage dur, la salade, l'œuf frais, la tarte aux poireaux ou à la citrouille. Sobres et vertueux — de vrais sauvages...»

SIDO, 1929.

L'UN DES DEUX «SAUVAGES» AU PIANO :
LÉO SURNOMMÉ PAR COLETTE «LE SYLPHE»
AUX DOUX «YEUX BLEU-DE-PLOMB».

É crasez de la paume de la main 100 g de beurre. Incorporez rapidement 250 g de farine puis un œuf entier et 5 g de sel. Laissez votre pâton se reposer une heure puis étirez-le et foncez un moule à flan. Épluchez et lavez 8 poireaux de taille moyenne. Émincez en rouelles de 1 cm d'épaisseur. Glacez-les dans un sautoir avec 50 g de beurre, 10 cl d'eau et 5 g de sucre. Salez, poivrez. Recouvrez d'un papier sulfurisé découpé à la dimension de votre sautoir et laissez compoter 20 minutes en prenant garde qu'ils ne se colorent pas beaucoup.

Transvasez les poireaux refroidis à l'intérieur de la tarte. Arrosez de 20 cl de crème fraîche fouettée avec 2 œufs. Épicez de 4 grains de poivre concassés et laissez cuire 30 minutes à four chaud (180°).

Ne soyez pas trop impatient de retirer le cercle à tarte car votre pâte est très fragile mais son grain sablé se marie admirablement avec la saveur douceâtre des poireaux.

Les raviolis de la mère Lamponi

«Après le bain, Colette me retenait souvent à déjeuner en attendant la pose de l'après-midi. La table était servie sur la terrasse, à l'ombre d'une treille couverte de glycine et de vigne ; le déjeuner était excellent : rascasse grillée, craquelée, raviolis de la mère Lamponi, le tout accompagné d'un "frais rosé" de Saint-Tropez.»

DUNOYER DE SEGONZAC, LE FIGARO LITTÉRAIRE, 1953.

Madame Louise Lamponi était la gardienne de la Treille Muscate.

A u milieu d'une couronne de 500 g de farine tamisée, déposez 5 jaunes d'œufs, 10 g de sel délayé dans 15 cl d'eau et 2 cuillerées à bouche d'huile d'olive. Travaillez progressivement le mélange et conservez-le en boule dans un linge humide.

Préparez une farce avec du bœuf et du veau braisés émiettés. Faites dorer un oignon haché puis ajoutez une cuillerée de tomate concentrée, 100 g d'épinards blanchis, la viande, quelques feuilles de basilic et 2 gousses d'ail pilées.

Étirez la pâte en une bande extrêmement fine d'une largeur de 5 cm. Posez dessus des petits tas de farce à intervalles réguliers de 4 cm. Humidifiez la pâte tout autour de la farce à l'aide d'un pinceau. Recouvrez aussitôt d'une deuxième abaisse de pâte. Collez en appuyant du bout des doigts puis découpez les raviolis avec la roulette.

Cuisez-les à l'eau bouillante salée 10 minutes. Égouttez. Servez-les baignés d'un coulis de tomates fraîches encore bouillant, salé, poivré, adouci d'une pincée de sucre et de 100 g de beurre mou. Laissez filer sur le dessus 50 g de gruyère râpé avec 50 g de parmesan.

Riz aux « favouilles »

La table de Colette à Saint-Tropez se garnissait de toutes les spécialités provençales dont le juteux «riz aux favouilles», présent notamment le soir de Noël.

« Favouille » : néologisme emprunté au provençal *favouio*, « crabe ». Les favouilles sont ces petits crabes plats et verts que les pêcheurs ramassent sur les rochers de la côte méditerranéenne.

Hachez séparément 100 g d'échalotes, 100 g d'oignons et 12 champignons. Dans une cocotte de fonte épaisse, faites-les fondre ensemble dans 100 g de beurre avec une livre de tomates concassées, un bouquet garni d'aromates et d'herbes potagères, quelques gousses d'ail, une prise de safran, de quatre-épices et deux petits piments.

Jetez les favouilles encore vivants dans la cocotte. Remuez constamment et colorez les carapaces avant de les ensevelir sous 500 g de riz.

Mouillez d'un verre de vin blanc sec et de 1,5 l d'eau. Salez de gros sel. Recouvrez d'un papier sulfurisé et laissez cuire au four à 170° pendant 25 minutes.

Au moment de servir, retirez le papier puis posez la cocotte au milieu de la table sans débarrasser le riz sur un plat de service car c'est encore le meilleur moyen de profiter de tous les arômes de ce riz grossi du jus des petits crabes que vous sucerez et croquerez.

PAGE DE DROITE : LE RIZ AUX FAVOUILLES SERVI SUR UNE TABLE FLEURIE DU HOUX DE NOËL ET DE ROSES «TIMIDES». *CI-DESSOUS :* COLETTE SUR LA TERRASSE DE LA TREILLE MUSCATE.

CRUSTACÉS, POISSONS D'EAU DOUCE ET POISSONS DE MER

UN CHEMIN TOUT «BOURDONNANT» DE LA CHALEUR DE L'ÉTÉ.

Le poisson au coup de pied

RECETTE ORIGINALE DE COLETTE

« *E*n forêt du Dom, il est une auberge... Son renom se fait si vite qu'il n'est pas besoin de la désigner plus clairement. Le lieu est beau, en pleine forêt profonde, et la route romantique tourne à souhait pour l'attaque des diligences... Les soirs d'été, deux, trois tables rudimentaires, égaillées sous les acacias, attendent les amateurs de gibier, et les friands du poisson que j'appelle "le poisson au coup de pied".

Est-ce une recette ? Non. Un accommodement culinaire primitif, vieux comme l'olivier, comme la pêche au trident. Jamais cuisson n'a demandé moins d'apprêts, il n'y faut que la manière.

Ayez seulement... une forêt provençale, tout au moins méridionale. Fournissez-vous-y de bois choisi : bûches cornues d'olivier, fagots de ciste, racines et branches de laurier, rondins de pin pleurant la résine d'or, menue broussaille de térébinthe, d'amandier, n'oubliez pas le sarment de vigne. A même la terre, entre quatre gros éclats de granit, bâtissez, allumez le bûcher. Pendant qu'il flambe, rouge, blanc, cerise, léché d'or et de bleu, il n'y a rien à faire que le regarder. Le ciel vert du crépuscule provençal, au-dessus de lui, tourne au bleu de lac.

Les flammes baissent, se couchent ; vous avez sous la main, n'est-ce pas, une ou plusieurs belles pièces de poisson méditerranéen, tout vidé ? Vous avez acquis à Saint-Tropez une rascasse monstrueuse, à gueule de dragon, ou vous avez apporté de Toulon les malins mulets à dos noirs, et vous n'avez pas omis, vidant ceux-ci ou celle-là, de glisser, tout le long de leur ventre creux, un

«*Pebredaï*» : «poivre d'âne», surnom provençal de la sarriette de montagne.

COLETTE À SAINT-TROPEZ SOUS UN «AZUR IMMOBILE», DANS «L'AIR BLEU DE L'ESTÉREL».

fuseau de lard ? Bon. Apprêtez votre balai, j'appelle ainsi ce bouquet odorant de laurier, de menthe, de pebredaï, de thym, de romarin, de sauge, que vous avez noué avant d'allumer votre feu. Apprêtez donc le balai, c'est-à-dire qu'il trempe dans un pot empli de la meilleure huile d'olive mêlée de vinaigre de vin — ici nous n'admettons que le vinaigre rose et doux. L'ail — vous pensiez naïvement qu'on pouvait se passer de lui ? — pilé, jusqu'à consistance de crème, rehausse le mélange comme il convient. Du sel, peu, du poivre, assez.

Attention. Votre feu n'est plus que braises bientôt. Un lit épais de braises qui chante bas, des tisons qui flambent encore un peu ; une fumée translucide, légère, porte à vos narines l'âme consumée de la forêt... C'est le moment de donner le magistral coup de pied qui envoie, au loin, bûches, brandons et fumerolles, qui découvre et nivelle le charbon ardent d'un rose égal, met à nu le cœur pur du feu sur lequel halète un petit spectre igné, bleuâtre, plus brûlant encore que lui.

Un vieux gril, à trois pieds hauts, salamandre tordue au service de la flamme, reçoit le poisson bénit de sauce, et le tout se plante d'aplomb, en plein enfer. Là !... Vous n'en êtes pas encore à la maîtrise de l'homme du Dom, l'homme de qui l'on ne voit que l'ombre sur le feu, le bras noir armé du balai aromatique, le bras noir sans cesse humectant, aspergeant, retournant le poisson sur le gril, pendant... Pendant combien de temps ? L'homme noir le sait. Il ne mesure rien, il ne consulte pas de montre, il ne goûte pas, il sait. C'est affaire d'expérience, de divination. Si vous n'êtes pas capables d'un peu de sorcellerie, ce n'est pas la peine de vous mêler de cuisine.

Le "poisson au coup de pied" saute de son vieux gril dans votre assiette. Vous verrez qu'il est raide, vêtu d'une peau qui craque, s'exfolie et bâille sur une chair blanche, ferme dont la saveur se souvient de la mer et des baumes sylvestres. La nuit résineuse descend, une lampe faible, sur la table, dénonce la couleur de grenat du vin qui emplit votre verre... Marquez, d'une libation reconnaissante, cet instant heureux. »

PRISONS ET PARADIS, 1932.

Bourride

Colette se plaisait à « corrompre » ses amis les peintres, « les laborieux amants de la couleur » : elle les entraînait dans un petit restaurant du port de Saint-Tropez où, près du piano mécanique, ils « sacrifi[aient] à la bourride » mitonnée selon ses consignes à grand « renfort d'ail, de farigoulette et de rascasson... ».

Choisissez une baudroie, un merlan, une rascasse, un rouget-grondin et un loup. Préparez un fumet en faisant fondre à l'huile d'olive les têtes de ces poissons avec 2 oignons et 2 poireaux émincés. Mouillez de 2 l d'eau. Laissez frissonner à petite ébullition pendant 20 minutes puis passez au tamis.

Faites suer poireaux, oignons et fenouil émincés. Portionnez les poissons et déposez-les sur ce lit. Ajoutez un gros bouquet garni renforcé d'une branche de céleri « couleur d'ivoire ». Recouvrez de fumet. Salez de gros sel marin et ajoutez 4 pommes de terre coupées en rondelles épaisses. Laissez frémir pendant 20 minutes.

Monter l'aïoli au mortier avec 12 gousses d'ail, 4 jaunes d'œufs, sel, poivre et 75 cl d'huile d'olive. Séparez-le en deux parties.

Détendez la première moitié avec une bonne louche du jus de cuisson puis remettez le tout dans la bourride. Surtout veillez bien à éviter toute ébullition qui, à ce stade, pourrait être catastrophique et continuez à remuer délicatement car l'aïoli, en se diluant, lie votre sauce et lui donnera son aspect velouté.

Accompagnez la bourride de belles tranches de pain grillé graissées du reste de l'aïoli.

DUNOYER DE SEGONZAC SURNOMMÉ
PAR COLETTE « DÉDÉ-À-L'ŒIL-SORCIER ».

Rascasse farcie

Sous le prétexte de fêter un saint local, Colette partait en pique-nique avec le « clan cannebier » et mangeait, sur les hauteurs d'une colline, face à la mer, rascasse farcie, beignets d'aubergines, oiseau rôti et tarte aux fruits arrosés d'un vif vin jeune.

Écaillez, videz et nettoyez une belle rascasse rosée. Incisez le ventre pour l'emplir d'une boule de farce composée d'un oignon haché finement, d'une gousse d'ail pilée, de 6 champignons hachés, 50 g d'épinards cuits, 2 cuillerées de fines herbes concassées, 100 g de mie de pain grillée et assaisonnée de sel, poivre et noix de muscade. Refermez le ventre avec une aiguille et du fil.

Posez la rascasse assaisonnée dans un plat à rôtir sur un lit d'échalotes hachées et de copeaux de beurre. Arrosez de deux verres de vin blanc. Laissez au four réglé à 170° pendant 30 minutes tout en prenant soin d'arroser souvent votre poisson.

Dans un petit sautoir, faites rougir à l'huile d'olive une douzaine de favouilles. Ajoutez 6 gousses d'ail, 6 tomates écrasées, un beau bouquet garni et épicez d'un petit piment et d'une pointe de safran. Laissez prendre une ébullition puis retirez aussitôt et passez le tout au tamis en veillant à bien écraser les petits crabes pour leur faire rendre tous leurs sucs. Finissez la sauce en additionnant le jus de cuisson de la rascasse et vérifiez l'assaisonnement.

Retirez le fil de couture de la rascasse juste avant de servir.

Buisson d'écrevisses au poivre

« Un petit gémissement de convoitise m'échappe, suscité par le parfum en traînée d'un plat d'écrevisses qui passe.
— Des écrevisses aussi ! Voilà, voilà ! Combien ?
— Combien ? Je n'ai jamais su combien j'en peux manger. Douze d'abord, on verra après. [...]
Oh ces écrevisses ! Si vous saviez, Renaud — [...] — là-bas, à Montigny, elles sont toutes petites, j'allais les prendre au Gué-Ricard avec mes mains, pieds nus dans l'eau. Celles-ci sont poivrées à miracle. »

CLAUDINE À PARIS, 1901.

Tirez sur la nageoire centrale de la queue des écrevisses pour enlever leur tuyau intestinal. Jetez une cinquantaine d'écrevisses dans une nage bouillante aromatisée d'un bouquet garni, d'une carotte et d'un oignon émincés, et assaisonnez d'une vingtaine de grains de poivre noir, d'un clou de girofle et d'une poignée de gros sel.

Laissez bouillir 3 minutes. Égouttez les écrevisses et dressez-les en buisson avec quelques petits bouquets de persil et une écrevisse retroussée à son sommet.

N'oubliez pas de prévoir des rince-doigts et quelques tranches de pain complet beurré, salé mais aussi relevé de ce poivre qui « purifie tout ».

Les langoustines à la crème de Léa

Malgré son manque d'appétit depuis qu'il est marié, l'évocation d'une recette de crémeuses langoustines que lui préparait Léa, sa vieille maîtresse, fait briller les yeux de Chéri...

Défaites les anneaux de la carapace d'une trentaine de langoustines. Retirez-leur le boyau noir. Faites aller et venir au beurre les coffres. Ajoutez-leur une garniture hachée de carotte, oignon, poireau, un petit bouquet garni et aromatisez avec une pointe de safran, de curry, une demi-cuillère de tomate concentrée, quelques gousses d'ail.

Mouillez avec un verre de vin blanc et laissez réduire à sec. Versez alors un litre de crème fraîche. Laissez-la épaissir jusqu'à ce qu'elle nappe la cuillère de bois. Passez la sauce au tamis en pressant fortement sur les coffres des langoustines pour qu'ils rendent bien tous leurs sucs.

Raidissez les queues des langoustines décortiquées dans la sauce crémeuse pendant 3 minutes et parsemez de persil haché.

Brochet des étangs poyaudins
sauce mousseline

«Je crois que le menu du repas était assez simple et très bon. Mais entre le brochet sauce mousseline et les entremets, — bastions de Savoie, nougats sur lesquels tremblait une rose de sucre filé — ma mémoire ne m'a rien légué. Car à la faveur de quelques gorgées de champagne, je tombai dans le brusque sommeil qui vainc à table les enfants fourbus.»

NOCES, 1943.

Mettez dans 3 l d'eau, 2 carottes et 2 oignons coupés en rouelles, 6 échalotes, un bouquet garni, quelques grains de poivre, une main de gros sel, un verre de vinaigre, une demi-bouteille de vin blanc et laissez bouillir une dizaine de minutes.

Dans une poissonnière, déposez sur la grille un brochet de 4 à 5 livres écaillé, vidé et bien nettoyé. Recouvrez-le de la nage et laissez frémir pendant 20 minutes.

Dans une casserole à fond épais, faites réduire de moitié 5 cl d'eau, 5 cl de vinaigre, une pincée de poivre en mignonnette, autant de sel fin.

Dans la réduction refroidie, fouettez 8 jaunes d'œufs sur un feu doux sans arrêter jusqu'à ce qu'ils arrivent à une consistance de mousseline. Faites-leur alors absorber 250 g de beurre clarifié, le jus d'un demi-citron et 20 cl de crème fouettée.

Égouttez le brochet sur un plat long et servez la sauce mousseline à part dans une saucière.

Ailleurs, Colette se souvint de la pêche de l'étang Chassaing, situé tout près de son village natal, où il ne fut trouvé qu'un seul poisson, un brochet monstrueux, qui s'était nourri de tous ses compères. Le Capitaine l'acheta comme curiosité pour un ami et, faute de trouver un emballage assez grand, lui expédia le rescapé ligoté sur une planche, juste enveloppé d'un vieux drap.

PÊCHE À LA LIGNE À L'ÉTANG DE MOUTIERS. *PAGES SUIVANTES :* ROUGEOIEMENTS CHATOYANTS PRÈS DE L'ÉTANG DE LA FOLIE.

Court-bouillon de homards bretons

*En Bretagne, Colette allait elle-même avec la complicité de quelque pêcheur
visiter les casiers à homards et choisir les spécimens qui embaumeraient le
court-bouillon du dîner.*

Dans une grande casserole, portez 3 l d'eau de mer à ébullition. Ajoutez
2 carottes en fines rondelles, 2 oignons en rouelles, 2 poireaux fendus
dans leur longueur, un panache de céleri. Condimentez avec un clou de girofle, 2 gousses d'ail, un gros bouquet garni, 2 piments langue d'oiseau, 2
morceaux de sucre, 15 cl de vinaigre de vin blanc et une demi-bouteille
de vin blanc sec.

Plongez 3 homards de 800 g dans ce court-bouillon. Laissez-les cuire
pendant 8 minutes.

Retirez 50 cl de la nage et fouettez au chaud avec 250 g de beurre
et un bol de peluches de persil.

Fendez les homards en deux. Retirez leur corail que vous écraserez puis
mélangerez à la nage et servez.

Carpe en gelée de jus de gigot

LE MANOIR DE ROZVEN VU DE L'INTÉRIEUR DES TERRES.

« J'oubliais, en vous suggérant le lard dans le poisson, de vous citer la gouvernante de l'évêque, qui, forcée dans ses retranchements de cordon-bleu, avoua : "Comment avoir, le Vendredi saint, une carpe en gelée parfaite, si je n'ai pas de la veille un bon jus de gigot ?"»

C. *in Almanach de Paris An 2000,* 1949.

Laissez mariner quelques heures une carpe écaillée, vidée et nettoyée dans du vin rouge. Aromatisez avec une carotte coupée en rouelles, 10 échalotes émincées, une branche de céleri, 6 gousses d'ail, une feuille de laurier, une brindille de thym et épicez de 2 clous de girofle, une prise de muscade râpée et 6 grains de poivre.

Dans une braisière, faites fondre une couenne de lard avec la garniture de la marinade et laissez suer les légumes.

Placez la carpe sur la garniture. Mouillez avec 0,5 l de vin rouge déjà utilisé et couvrez. Laissez la carpe braiser doucement pendant une trentaine de minutes.

Au sortir, défaites délicatement les filets. Rangez-les dans un plat creux.

Dans la braisière débarrassée du poisson, versez un bol de jus de gigot conservé de la veille, laissez frémir puis filtrez la cuisson sur les filets dressés.

Conservez au frais 24 heures avant de déguster.

Thon à l'échalote

COLETTE ET GERMAINE BEAUMONT LORS DE VACANCES EN BRETAGNE.

« La pluie des bords de la mer, la pluie, fine, vaporisée, qui poudre les joues et les cheveux d'une buée d'argent, nous trempait d'un côté, le vent nous séchait de l'autre. La faim seule nous chassait vers notre grande maison de bois qui sentait le navire, et je gravissais vite l'escalier, toute passionnée de flairer le court-bouillon des petits homards ou l'échalote du thon en tranches, épais comme du veau ; je bondissais le long des marches, j'y laissais la trace de mes pieds nus, frais et mouillés comme des pieds de sauvagesse. »

LA RETRAITE SENTIMENTALE, 1907.

Faites confire une trentaine de petites échalotes grises à l'huile d'olive avec une feuille de laurier et une brindille de thym. Retirez les échalotes pour installer à leur place deux larges tronçons de 500 g de thon rouge un peu rassis. Salez, poivrez.

Cuisez chaque face en veillant à ne pas dessécher le thon. Réchauffez les échalotes avant de les présenter dans un plat autour du thon.

Piquez avec la pointe d'un couteau la vertèbre du thon pour retirer les quelques arêtes et masquez cette ouverture avec une cuiller de beurre d'anchois.

Aïoli de légumes

« L'œil humain n'est jamais tout à fait inoffensif. Ne vous étonnez donc pas qu'un ailloli, qui montait et blanchissait à ravir, fonde soudain en grumeaux dans son huile :
— Eh ! vous me l'avez regardé, aussi ! » s'exclament les cuisinières humiliées.
JOURNAL À REBOURS, 1941.

Dans un mortier, pilez une vingtaine de gousses d'ail avec une pomme de terre farineuse déjà cuite. Salez, poivrez, versez un filet d'huile d'olive sur la pommade d'ail et tournez régulièrement avec votre pilon jusqu'à absorption de 75 cl d'huile d'olive. N'oubliez pas d'ajouter au cours de cette manœuvre quelques gouttes d'eau tiède pour fixer l'aïoli. Finissez avec quelques gouttes de citron. Conservez-le dans un endroit tempéré jusqu'au moment de le servir.

Dans un bouillon d'eau salée, aromatisé et épicé sagement de thym, laurier, fenouil, clou de girofle, brins de persil et de 2 à 3 piments, plongez 6 carottes, 6 pommes de terre en robe, 6 petits artichauts violets, 2 poignées de haricots verts, une botte de jeunes navets, 3 têtes de fenouil fendues en deux et une douzaine de petits topinambours.

Dans une partie de ce bouillon, jetez 2 douzaines d'escargots, 2 kg de morue salée, rincée à l'eau claire et laissez cuire 15 minutes.

Faites durcir à part 6 œufs. Égouttez la morue, disposez-la au centre d'un large plat de service entourée de toute sa suite de légumes et parée d'œufs durs et d'escargots. Arrosez en arabesque d'un filet d'huile d'olive et servez avec une large saucière d'aïoli.

« Aïoli » ou « ailloli » vient de l'alliance des deux mots provençaux « ai », l'ail, et « oli », l'huile, et désigne la mayonnaise fortement aillée qui lie morue et légumes.
Par assimilation, ce mot désigne maintenant l'ensemble du plat.

Truite au fuseau de lard

« Hésitez-vous, pour le rendre meilleur, à glisser intérieurement, tout le long d'un poisson vidé, un fuseau de lard ? Cessez d'hésiter, je réponds du résultat. »
C. in Almanach de Paris An 2000, 1949.

Quelques heures avant de les cuire, parez 6 belles truites saumonées de rivière et introduisez dans leur ventre fendu un fuseau de lard fumé. Réservez au frais. Dans une poêle noire épaisse, dorez les truites dans moitié huile, moitié beurre. Ajoutez-leur 24 petits oignons blanchis et 100 g de petits lardons taillés menu.

Égouttez le gras et remettez 50 g de beurre frais dont vous arroserez souvent les truites.

Rangez les truites et leur garniture dans un plat large. Faites mousser le beurre resté dans la poêle en lui ajoutant 2 cuillerées de persil haché.

PAGE DE DROITE : LES TRUITES SAUMONÉES ET LEURS FUSEAUX DE LARD.

Hélène Jourdan-Morhange, violoniste de grand talent et interprète favorite de Maurice Ravel, est l'épouse du peintre Luc-Albert Moreau.

Loup grillé au fenouil

« J'habitais "Le Maquis" avec la bande des peintres Luc-Albert Moreau, Ségonzac et Villebœuf. Thérèse Dorny et Gignoux étaient aussi des nôtres quand nous retrouvions Colette et Maurice, à l'Auberge du Don ou tout autre coin du pays pour savourer "le loup grillé au fenouil", la bourride ou l'aïoli. Colette était si simple, si vraie, si bousculante, qu'on oubliait aisément sa supériorité, son génie étant aussi dans sa vie ; la regarder vivre était plus beau que tout ! Elle entraînait ses amis dans ses découvertes passionnées, fussent-elles culinaires, "chattes", végétales et même astrales. Tous ses proches ont appris, par elle, à savourer la minute qui passe, le détail infime qui embellit la vie. N'est-ce pas là une contagion bien efficace ? »

HÉLÈNE JOURDAN-MORHANGE, LES LETTRES FRANÇAISES, 1954.

É caillez, videz et rincez à l'eau courante 2 loups bien raides de 800 g. Épongez-les soigneusement. Quadrillez leurs flancs de légères incisions. Mettez-les à mariner dans de l'huile d'olive parfumée de graines de fenouil, salez et poivrez.

Étalez la braise. Posez dessus une grille recouverte de branches de fenouil séché. Rangez les loups et surveillez la cuisson pour les retourner au moment opportun et les badigeonner d'huile de la marinade.

Émincez un petit fenouil, pressez un demi-citron, salez, poivrez, faites tiédir avec un verre d'huile d'olive et servez cette sauce toute simple avec le loup présenté sur son lit de branchage anisé.

Le « sotto coffi »

« Il est fameux, ce poisson ! Comment l'appelez-vous ?
— Qui le sait ? Nous lui donnons un nom d'ici, le sotto coffi, que nous disons. Habillé à la provençale, auriez-vous reconnu le nom du vulgaire stockfish ? Moi, j'y ai mis le temps. »

JOURNAL À REBOURS, 1941.

P endant 2 jours, laissez tremper dans une eau claire 1 kg de morue séchée et renouvelez l'eau régulièrement. Faites fondre à l'huile d'olive un hachis de 3 oignons, 6 gousses d'ail, la chair de 6 tomates, un bouquet garni, une poignée de feuilles de basilic et une prise de sel épicé.

Laissez compoter 15 minutes sur un feu moyen. Nettoyez, parez la morue et détaillez-la en gros cubes. Rangez-la sur la garniture odorante et mouillez bien. Laissez le liquide se réduire pendant 30 minutes jusqu'à l'obtention d'un coulis épais.

Arrangez sur son sommet quelques rondelles de pommes de terre cuites avec quelques olives noires.

Poulet au blanc

« Un bonheur en dehors de mon âge, un bonheur subtil de gourmand repu me tient là, douce, emplie de sauce de lapin, de poulet au blanc et de vin sucré... »

LA MAISON DE CLAUDINE, 1922.

B ridez un poulet de 1,8 kg avant de le mettre à pocher dans une casserole pouvant largement le contenir. Couvrez d'eau froide. Salez d'une main légère et portez à ébullition. Écumez consciencieusement.

Ajoutez une garniture aromatique composée d'une branche de céleri, d'un gros oignon boutonné de clous de girofle, une carotte, un poireau, un bouquet garni et une dizaine de grains de poivre.

Après 50 minutes d'une douce ébullition, retirez votre poulet et recouvrez-le d'un papier sulfurisé beurré afin qu'il reste bien blanc.

Filtrez votre jus de cuisson et laissez-le réduire jusqu'au volume de 1,5 l environ. Préparez séparément un roux avec 80 g de beurre et 80 g de farine que vous ferez juste légèrement blondir ensemble. Mouillez alors avec le bouillon de volaille en mélangeant jusqu'à ce que vous obteniez l'ébullition. Ajoutez 300 g de petites têtes de champignons blancs lavés et essuyés.

Après quelques minutes de cuisson, vannez votre sauce hors du feu avec une cuillère en bois en ajoutant 4 jaunes d'œufs, 4 cuillers de crème fraîche et un jus de citron. Vérifiez l'assaisonnement.

Dressez dans un plat creux votre volaille déficelée, nappée de blanc et entourée de petits boutons de champignons.

VOLAILLES, VIANDES DE BOUCHERIE ET GIBIERS

« Ces poulets que je vous ai envoyés avaient atteint toute leur taille, c'était ce qu'on appelle des Lolottes. »
SIDO À C., 1909.

Poulet grillé de la Treille Muscate

« Des fruits, des légumes, du poisson, et, de temps à autre, la moitié d'un jeune poulet délicatement arrosé d'huile et grillé en plein air sur des braises de fenouil et de romarin... »

C. À A. BILLY, in *Intimités littéraires*, 1932.

F endez deux poulets de 1,5 kg. Mettez les 4 moitiés salées et poivrées à mariner dans un généreux bain d'huile d'olive aromatisé d'ail écrasé, de semences de fenouil, de branches de romarin et d'un jus de citron.

Sous une grille, étalez une belle braise issue de nœuds d'olivier agrémentés de branchages de fenouil et de romarin.

Placez les poulets sur le gril. Ne les abandonnez pas : retournez-les et badigeonnez-les régulièrement à bon escient tout en évitant que la braise ne s'enflamme. Laissez-les griller pendant 30 minutes.

Pour les accompagner, profitez de cette braise odorante pour griller quelques tomates juteuses que vous salerez et poivrerez, tout simplement.

PAGES SUIVANTES : DÉJEUNER SUR LA TERRASSE DE LA TREILLE MUSCATE, À L'OMBRE DE LA GLYCINE ET DE LA VIGNE EMMÊLÉES : UNE TABLE DRESSÉE «MÉRITE PRESQUE AUTANT DE CONSIDÉRATION QU'UN BON TABLEAU »...

Poulet à la cendre et à la glaise

RECETTE ORIGINALE DE COLETTE

Cette recette est peut-être d'inspiration poyaudine car l'argile est abondante dans cette région et les ateliers de poterie nombreux. On ne peut rêver effectivement de cuisson plus simple et plus naturelle car la volaille cuit dans sa propre eau et sa graisse sans aucun apport extérieur. Cette façon est restée dans notre cuisine française sous la forme des viandes cuites à l'étouffée en croûte de sel.

« J'ai gardé pour la fin la recette d'un poulet à la cendre et à la glaise... Elle semble barbare. Elle rappelle celle du poulet chinois, scellé dans la laque, sauf que le poulet à la cendre demande qu'on l'englue, emplumé, dans l'argile lisse, la glaise des sculpteurs. Il ne faut que le vider avec soin, le poivrer et le saler intérieurement. Sa graisse, prisonnière, suffit à tout. La boule d'argile et son noyau gallinacé subissent une crémation assez longue au sein d'une cendre épaisse, de toutes parts entourée de braises qu'on attise, qu'on renouvelle. La molle argile, au bout de trois quarts d'heure, est un œuf de terre cuite. Brisez-le : toutes les pennes, une partie de la peau restent attachées aux tessons, et la perfection sauvage du tendre poulet vous incline vers une gourmandise un peu brutale et préhistorique... »

PRISONS ET PARADIS, 1932.

Jambonneaux de cochon

Ces fondants jambonneaux de cochon formèrent le plat de résistance du repas de mariage de Colette avec Maurice Goudeket le 3 avril 1935.

LES LAMPES EN FORME DE CHIEN DE COLETTE.
PAGE DE DROITE : COLETTE AVAIT COUTUME DE DÉDICACER AINSI CETTE PHOTO :
« SIX YEUX VOUS REGARDENT ! »

« Le menu du déjeuner de noces ne mentit pas à ce moment hivernal du printemps. Il comportait de fondants jambonneaux de cochon cuits en pot-au-feu, habillés de leur lard rosé et de leur couenne, mouillée de leur bouillon qui fleurait un peu le céleri, un peu la noix de muscade, un peu le raifort et tous les sains légumes, serviteurs aromatiques de la maîtresse viande. Nous eûmes aussi des crêpes... Se marie-t-on sans champagne ? Oui, si le champagne s'efface devant une de ces rencontres qui ensoleillaient nos auberges françaises, en l'espèce celle d'un cru anonyme, sombre et doré comme une châsse espagnole, et qui tenait le coup devant le cochon et devant les fromages... »

L'ÉTOILE VESPER, 1946.

Rincez sous l'eau courante pendant quelques minutes 3 beaux jarrets de porc demi-sel. Pochez-les dans un faitout rempli d'un bouillon aromatisé d'une demi-noix de muscade râpée, de 10 grains de poivre et d'un gros bouquet garni. Ajoutez 3 carottes entières, 3 oignons boutonnés de clous de girofle, 3 poireaux noués en bouquet, une rave de céleri coupée en deux, une petite racine de raifort et 3 petits panais. Laissez frémir pendant 3 heures.

On peut servir ces jambonneaux tièdes ou bien froids. Dans ce dernier cas, enveloppez-les dans une étamine, ficelez-les pour resserrer les chairs et laissez-les refroidir dans leur cuisson qui se gélifiera naturellement.

Colette ne dérogea jamais à l'habitude prise auprès de Sido puis d'Annie de Pène de confier à la cocotte en fonte «deux cubes de sucre» lors de la cuisson du ragoût de mouton ou du veau à la casserole. Fidèle tout d'abord à un confiant mimétisme, elle comprit vite que cette coutume ménagère permet d'atténuer à peu de frais l'acidité d'une sauce, en rectifie l'équilibre et lui confère souplesse et onctuosité.

PAGE DE DROITE : DANS LEUR NOIRE COCOTTE EN FONTE, LES ROUELLES DE VEAU AUX CAROTTES ET AUX GIROLLES MITONNENT À FEU DOUX.

Rouelles de veau en cocotte aux carottes et aux girolles

«Notre "four-de-campagne", ancien, façonné au marteau, abritait de patientes daubes, des rouelles aux carottes et aux girolles, qui ne perdaient rien de leur volume ni de leur jus.»

PRISONS ET PARADIS, 1932.

Découpez 2 jarrets de veau fermier bien rose en rouelles de 5 cm d'épaisseur. Faites colorer les morceaux de chaque côté dans une cocotte en fonte noire avec 50 g de beurre. Ajoutez 3 carottes et 2 oignons émincés, un bouquet garni et quelques gousses d'ail. Continuez la coloration de la viande et des légumes.

Mouillez à hauteur des rouelles de veau avec un bouillon de viande et ajoutez 2 morceaux de sucre.

Après 1 heure de cuisson lente à feu doux, retirez la garniture et mettez 500 g de carottes nouvelles crues à cuire dans la sauce à demi réduite.

Pendant ce temps, nettoyez 500 g de girolles que vous mettrez 50 minutes plus tard à cuire pendant 10 minutes.

Le jus brun, onctueux, riche de la concentration de tous ses sucs sera admirablement complété par ce champignon si parfumé, «petit parapluie retourné, qui agrémente la sauce du veau».

Cochon rôti à la sauge

«Nous eûmes, Pati et moi, la bourride bien veloutée, corsée d'ail généreusement, une forte part de cochon rôti à la sauge, flanqué de pommes-fruit et de pommes-légume, du fromage, de la confiture de poires vanillées, des amandes sèches, un carafon de "rosée" du pays, et j'augurai que trois semaines d'un tel régime répareraient les dégâts de deux bronchites.»

BELLA-VISTA, 1937.

Assaisonnez de sel et de poivre du moulin une rouelle de jambon de porc frais bien entrelardé d'un poids de 1,2 kg. Saisissez la pièce de cochon dans une large cocotte graissée d'une grosse noix de beurre avant de la mettre à rôtir au four.

Triez une trentaine de petites pommes de terre nouvelles, juste lavées, frottées de gros sel pour en ôter la terre et rincées. Dispersez-les autour de la pièce de cochon que vous veillerez à retourner.

Condimentez d'une douzaine de gousses d'ail dans leur peau et de 6 à 8 feuilles de sauge fraîche selon votre goût.

Veillez à arroser souvent le jambon avec le gras de la viande et remuez les pommes de terre.

Laissez le cochon au four pendant 40 minutes et les pommes de terre seulement 30 minutes.

Pendant ce temps, épluchez et coupez 3 pommes reinettes en quartiers. Mettez-les à compoter avec un soupçon de sucre, une pincée de sel, un petit tuyau de cannelle et 3 feuilles de sauge «duvetées comme une oreille de lièvre»...

Sur un plat ovale en faïence, placez le cochon rôti «flanqué» des pommes de terre et des gousses d'ail en chemise. Réservez à la bouche du four.

Dégraissez juste ce qu'il faut la cocotte et déglacez avec un verre d'eau. Laissez bouillir et réduire quelques instants avant d'arroser la viande.

Accompagnez de la marmelade de pommes à la sauge.

Le régal d'Hafiz

RECETTE ORIGINALE DE JEAN COCTEAU

«Athénée rapporte qu'un vieux monsieur grec, gastronome, habile et mal élevé, crachait dans les sauces pour que les convives en refusassent et qu'il lui en restât davantage. C'est aller loin; mais j'estime que l'indifférence culinaire est une faiblesse et j'admire les sages qui développent tous leurs sens parallèlement.

Le repas sature la faim comme un poème l'exaltation; tous ces alambics s'apparentent et c'est mon excuse à vous offrir une des plus secrètes et des plus onctueuses alchimies du monde:

LE RÉGAL D'HAFIZ

I — Prendre 3 livres de filet de mouton; retirer la peau et dégraisser à peine. Couper par tranches très très fines. Mettre dans une terrine, ajouter 3 cuillerées à bouche de riz cru, 200 grammes de beurre. Avoir 2 épais choux de Milan, détacher leurs larges feuilles, en mollir 5 ou 6 ensemble dans l'eau bouillante et supprimer la côte centrale avec des ciseaux. Poser alors une pincée de hachis sur une moitié de feuille, rouler, et ainsi de suite.

II — Garnir le fond d'une casserole avec des bardes de lard, des couennes; coucher sur le lit les cylindres de choux. À moitié de la casserole introduire autour, deux fortes gousses d'ail dont on enlève la première peau et terminer l'arrangement des cylindres. Une fois la casserole pleine, répandre dessus un bol de sauce tomate et un bol de bouillon de tailles égales. Couvrir avec deux parcelles de choux pour que l'ensemble ne sèche pas. Lorsque la mixture est bien en train de bouillir, pousser au four et laisser 4 heures. On démoule comme un entremets.

De vives épices sont indispensables.»

SUR LES PAS DE SES DEUX FRÈRES AÎNÉS QUI S'ÉTAIENT MIS EN TÊTE DE FORMER UNE COLLECTION DE PAPILLONS, COLETTE APPRIT À RECONNAÎTRE LE SPHINX, LA PIÉRIDE DU CHOU, LE MARS, LE MORIO ET LA VANESSE. ELLE GARDA UNE CERTAINE FAMILIARITÉ DE LEUR COMPORTEMENT ET, DANS LE MIDI, SE PLUT A LEUR TENDRE UNE MAIN HUMECTÉE DE VIN ROSÉ QU'ILS BUVAIENT DE LEUR TROMPE «PLUS RAPIDE ET PLUS IMMATÉRIELLE ENCORE QUE LA PETITE LANGUE DE LA COULEUVRE»: «CE SONT LÀ DES INSTANTS LÉGERS, INNOCENTS. NOTRE VIE DIFFICILE ET TROUBLÉE A PLUS QUE JAMAIS BESOIN D'IMAGES SEREINES» (*JOURNAL À REBOURS*, 1941). PLUS TARD, ELLE TAPISSA UN MUR DE SON APPARTEMENT DU PALAIS-ROYAL DE CES PETITES FENÊTRES VITRÉES OÙ UNE MULTITUDE DE LÉPIDOPTÈRES «OCELLÉS» ET «NACRÉS», DES MACHAONS «AUX NERVURES GOTHIQUES», OU DE MERVEILLEUX AGRIAS TEINTÉS DE «ROUGE PUR» ET DE «BLEU INCANDESCENT» FAISAIENT JOUER LA LUMIÈRE SUR LEURS AILES IMMOBILES.

L'illustre voisin de Colette au Palais-Royal se piquait également de gastronomie. Cette recette fut publiée dans «Les Annales» du journal *Le Temps*, en novembre 1912. Nous avons eu la chance de retrouver le manuscrit original qui garantit à l'énigmatique destinataire de cette missive «de savoureuses gourmandises»...

. Athénée rapporte qu'un vieux monsieur grec, gastronome, habile et malélevé, crachait dans les sauces pour que les convives en refusassent et qu'il lui en restât davantage. C'est aller loin ; mais j'estime que l'indifférence culinaire est une faiblesse et j'admire les sages qui développent tous leurs sens parallèlement.

. Le repas sature la faim comme un poème l'exaltation ; pour ces alambics s'apparentent, et c'est mon excuse à vous offrir une des peu secrètes et des peu onctueuses alchimies au monde :

Le Régal d'Hafiz.

I. Prendre 3 livres de filet de mouton ; retirer la peau et dégraisser à peine. Couper par tranches très très fines. Mettre dans une terrine, ajouter 3 cuillerées à bouche de riz cru, 200 grammes de beurre. Avoir 2 épais choux de Milan, détacher leurs larges feuilles et en mollir 5 ou 6 ensemble dans l'eau bouillante et supprimer la côte centrale avec des ciseaux. Pour cela une pincée de hachis

sur une moitié de feuille, rouler, et ainsi de suite.

II. Garnir le fond d'une casserole avec des bardes de lard, des couennes ; coucher sur ce lit les cylindres de choux. À moitié de la casserole introduire autour, deux têtes gousses d'ail dont on enlève la première peau et fermer l'espace des cylindres. Une fois la casserole pleine, répandre dessus un bol de sauce tomate et un bol à bouillon de tailles égales. Couvrir de des feuilles de choux pour que l'ensemble ne brûle pas. Lorsque la mixture est bien saisie, mouiller de bouillon ; pousser au four et laisser mijoter. On démoule comme un entremets. Les épices sont indispensables.

Jean Cocteau.

... chère madame, le respectueux ... et cette jeune cohorte ... de savoureuses gourmandises.

COLETTE ET JEAN COCTEAU,
« TOUJOURS LUCIOLE »,
AU GRAND VÉFOUR.

Colette se rendit à plusieurs reprises entre 1922 et 1938 en Afrique du Nord où elle fut notamment au Maroc l'invitée du Glaoui. On comprend au plaisir de l'énumération de ces mets qu'elle considérait la cuisine arabe comme «un poème en cent plats».

Mouton recouvert d'olives et d'écorces de citrons

«Dîner chez le chambellan du Sultan. Mosaïques et lumières mouillent à flots les murs. Belle à force d'être vaste, la demeure reçoit encore la lune, qui coule du haut de sa cour ouverte, où les eaux murmurent. Le dîner arabe commence par un potage poivré, puis nous avons :
La pastilla, feuilletée, aux œufs, et poulet sucré.
Les pigeons.
Le poulet aux amandes fraîches.
Le méchoui.
L'alose.
Le mouton recouvert d'olives et d'écorces de citrons.
Les fonds d'artichauts, posés sur une viande très cuite.
Du mouton, servi avec les pommes vertes cuites.
Le couscous aux raisins et pois chiches, avec le lait caillé.
Le turban du Cadi.
Les oreilles du Cadi.
L'orangeade sans eau.
Le café, le thé à la menthe.
Et, plus tard, le lait d'amandes. »

PRISONS ET PARADIS, 1932.

Choisissez un quartier d'épaule et de côtes d'agneau d'environ 3 kg. Composez une huile d'olive épicée avec du sel, une cuiller à café de cumin en poudre et autant de piment doux. À l'aide d'un couteau, décollez en partie l'épaule des côtes puis enduisez les chairs de cette huile parfumée.

Mettez à rôtir votre agneau dans un four moyen chauffé à 180°, chair contre plaque, pendant une heure. Retournez-le et versez 0,5 l de bouillon de viande aromatisé de 2 oignons émincés finement, 2 gousses d'ail écrasées, une cuillère à café de gingembre frais haché et 2 g de safran. Arrosez régulièrement le rôti.

Après 2 heures totales de cuisson, ajoutez la peau d'un citron confit coupée en petits dés, 30 olives vertes confites et un verre d'eau si le bouillon s'est trop réduit. Continuez la cuisson pendant les 20 dernières minutes : poussez du doigt la viande de mouton, elle se défait toute seule.

Présentez votre quartier de mouton sur un grand plat rond en cuivre ciselé et recouvrez d'olives vertes et d'écorces de citrons.

Les olives et les citrons confits se préparent à l'avance et peuvent servir de condiments en d'autres occasions.

OLIVES CONFITES
Concassez légèrement de fraîches olives vertes. Faites-les tremper dans l'eau pour leur faire perdre leur amertume pendant trois jours en renouvelant celle-

ci deux fois par jour. Conservez-les dans un bocal d'eau salée. Utilisez selon vos besoins.

CITRONS CONFITS

Coupez des citrons en quatre sans séparer les quartiers. Salez de sel fin et n'utilisez la peau adoucie qu'après un mois de macération dans un bocal rempli d'eau.

HENRY DE JOUVENEL RONGEANT UN OS DE GIGOT LORS DU PANTAGRUÉLIQUE FESTIN DE PLEIN AIR ORGANISÉ POUR CÉLÉBRER LES NOCES DE SA FILLE, BEL-GAZOU.

Cassoulet de couennes

« Qu'est-ce que vous mangerez ce soir chez Larue, tonton ?
— Est-ce que je sais ! Des filets de soles aux moules, pour changer. Et une selle d'agneau aux truffes, naturellement... Grouille, Gigi. J'ai cinq cartes.
— Et vous tombez sur un bec de gaz. J'ai un jeu de voleur. Ici, on mangera le reste du cassoulet réchauffé. J'aime bien le cassoulet.
— C'est simplement du cassoulet aux couennes, dit avec modestie Inès Alvarez qui rentrait. L'oie n'était pas abordable, cette semaine.
— Je vous en ferai envoyer une, de Bon-Abri, dit Gaston.
— Merci beaucoup, Gaston. Gigi, aide M. Lachaille à passer son pardessus. Donne-lui sa canne et son chapeau.
Quand Lachaille partit maussade, flairant et regrettant le cassoulet réchauffé, Mme Alvarez se tourna vers sa petite-fille. »

GIGI, 1944.

Mettez à tremper 750 g de haricots blancs « mogettes » pendant 3 heures. Faites-les ensuite blanchir pendant 15 minutes dans de l'eau avec 300 g de couennes de porc ficelées comme un bottillon. Émincez finement les couennes. Dans un plat en fonte, faites suer 2 gros oignons hachés, une tête d'ail pilée, 2 tomates écrasées avec une brindille de thym, une feuille de laurier fragmentée et une mignonnette de poivre. Ajoutez les couennes taillées menu, la moitié d'une oie détaillée en morceaux, un saucisson aillé à cuire et versez les haricots avec leur jus. Laissez mijoter doucement pendant 3 heures.

Rangez le cassoulet dans de petites marmites individuelles cerclées d'argent ainsi que le dégustèrent les héros de *Claudine en ménage* — « *A chacun sa marmite : comme c'est amusant, n'est-ce pas, cher Maître ?* » Frottez d'ail le fond et les côtés en terre vernissée puis garnissez de haricots, recouvrez de saucisson découpé en larges tranches et des morceaux d'oie, masquez de haricots à nouveau. Parsemez de mie de pain et dorez doucement pendant 45 minutes, si possible, selon la tradition établie, dans un four de boulanger.

L'appellation « en musette » désigne une épaule de mouton désossée, assaisonnée intérieurement et façonnée en rond à la manière d'une musette, ce petit sac de toile porté en bandoulière qui servait traditionnellement à porter le manger et dont on a gardé le nom pour désigner la mangeoire en toile des chevaux. Cette appellation ancienne est d'ailleurs plutôt rare et l'on trouve plus communément ce procédé décrit sous le nom d'« épaule de mouton en ballon ». Quant à « l'espagnole » ou « l'italienne », il s'agit là de deux sauces de base très classiques largement employées dans la cuisine bourgeoise du XIXe siècle. « L'espagnole » désigne un fond de veau enrichi d'une garniture aromatique rissolée et tomatée qui sert à la confection d'une multitude de sauces brunes composées. Pour glacer votre épaule de mouton en musette, il faut la napper à l'aide d'une louche en plusieurs opérations successives afin d'obtenir une sauce brillante et bien lustrée. « L'italienne » est un fond de veau brun épaissi par réduction auquel on ajoute en proportions égales une purée de champignons desséchée, un hachis de jambon maigre, une purée de tomates cuites et des herbes concassées : persil, cerfeuil et estragon. Cette sauce se sert plus généralement en accompagnement qu'en glaçage qui nécessite une sauce plus claire.

Colette écrivit épisodiquement dans *Vogue* de 1925 à 1932. Ses chroniques gastronomiques — à partir de 1928 — furent toutes reprises dans *Prisons et paradis*.

Épaule de mouton en musette

RECETTE DE COLETTE

« Quant à l'emploi du sucre dans les mets de résistance, je veux quitter un moment mon repas marocain et cueillir malignement mes références dans un des meilleurs manuels de cuisine française, un petit volume édité en 1839. J'y prends, parmi cent autres, la recette des "épaules de mouton en musette". "Ôtez tous les os de deux épaules d'agneau, et retranchez la moitié des manches ; rapprochez les épaules, assaisonnez l'intérieur de sel, poivre, épices fines ; bridez ; piquez de petit lard les parties extérieures, enduisez-les d'une couche de farce cuite, sucrez le tout à volonté. Rehaussez de cornichons, truffes, que vous enfoncez légèrement dans la farce. Mettez à cuire dans une braisière avec quelque peu de jambon, couvrez de bardes grasses, de papier gras, mettez à cuire entre deux feux..."
Je néglige des détails de glaçage et d'apprêts, qui finissent sur cette recommandation ambiguë : "Il convient de couvrir avec une espagnole corsée ou une italienne réduite", et je retourne aux environs de Tanger, non sans avoir redit que le "sucrez à volonté" revient dans mainte recette ancienne de viandes braisées et mijotées, et que le sucre s'impose à tous les plats dont le temps de cuisson dépasse une heure. »

PRISONS ET PARADIS, 1932.

Poitrine de bœuf à la Languedocienne

« Une voix dans ma chambre : "C'est aujourd'hui qu'elle devait envoyer à Vogue *la recette de la poitrine de bœuf à la Languedocienne..."*
[...] Ah ! oui, Vogue, *obsession,* Vogue *et sa poitrine de mouton, de bœuf, de mastodonte, ses gigots de plésiosaure, ses dinothériums farcis... Mais ils ne pensent donc qu'à ça ? Dans mes souvenirs, brumeux, tamisés et rythmés par la timbale de mes 38,5, il me semblait que* Vogue *s'occupait d'élégances... »*

PRISONS ET PARADIS, 1932.

Dans une braisière, faites colorer 4 carottes taillées grossièrement, 4 oignons coupés en quartiers, une tête d'ail coupée en deux, 4 tomates bien mûres avec thym, laurier, une dizaine de grains de poivre, 2 clous de girofle et un bâton de cannelle.

Déposez dessus 2 kg de poitrine de bœuf coupée en deux morceaux. Faites colorer les pièces de viande puis mouillez avec une bouteille de vin blanc moelleux. Laissez réduire de moitié puis recouvrez d'un fond de viande. Laissez cuire pendant 3 heures en maintenant une cuisson douce et régulière.

Dans un plat creux, décantez la viande et arrosez de la sauce passée. Servez d'une garniture de cèpes escalopés, poêlés à l'huile d'olive et d'aubergines frites. Parsemez le plat de persil haché.

146

Le *puchero* est un plat de fête espagnol traditionnellement consommé à Noël. Dans ce pot-au-feu extrêmement copieux, les *longanizas* désignent de grosses saucisses noires catalanes et les *garbanzos*, les pois chiches.

CAROLE OTERO, SURNOMMÉE «LA BELLE OTERO», CONNUT SON HEURE DE GLOIRE AU TOUT DÉBUT DE CE SIÈCLE DANS LES MUSIC-HALLS PARISIENS COMME DANSEUSE ESPAGNOLE.
«DES PAUPIÈRES BOMBÉES AU MENTON GOURMAND, DU BOUT DU NEZ VELOUTÉ À LA JOUE CÉLÈBRE ET DOUCEMENT REMPLIE, J'OSERAI ÉCRIRE QUE LE VISAGE DE Mme OTERO ÉTAIT UN CHEF-D'ŒUVRE DE CONVEXITÉ.»
MES APPRENTISSAGES, 1936.

QUAND CAROLE OTERO INVITAIT COLETTE À MANGER LE «PUCHERO», LA SOIRÉE COMMENÇAIT PAR UNE PARTIE DE BÉSIGUE. SEULS UNE «FAIM IMPÉRIEUSE» ET LES EFFLUVES PROVENANT DE LA CUISINE L'ARRACHAIENT AU JEU DE CARTES. POUR SATISFAIRE PLEINEMENT SA GOURMANDISE, SA RÈGLE ÉTAIT «POINT D'HOMMES À TABLE NI DE RIVALE». APRÈS AVOIR VIDÉ SON ASSIETTE QUATRE OU CINQ FOIS, ELLE REPOUSSAIT SON COUVERT, SAUTAIT SUR SES PIEDS ET DANSAIT POUR SON SEUL PLAISIR UNE BONNE PARTIE DE LA NUIT DEVANT DES CONVIVES REPUS ET OUBLIÉS.

Le puchero de la belle Otero

«La vraie fête de gueule, ce n'est jamais le dîner à hors-d'œuvre, entrée et rôtis. Là-dessus nous étions bien d'accord, Mme Otero et moi. Un puchero, son bœuf, son jambonneau et son lard gras, sa poule bouillie, ses longanizas, ses chorizos, tous les légumes du pot-au-feu, une colline de garbanzos et d'épis de maïs, voilà un plat pour ceux qui aiment manger... J'ai toujours aimé manger, mais qu'était mon appétit au prix de celui de Lina? Sa majesté fondait, remplacée par une expression de volupté douce et d'innocence. L'éclat des dents, des yeux, de la bouche lustrée était d'une jeune fille. Rares sont les beautés qui peuvent bâfrer sans déchoir!»

MES APPRENTISSAGES, 1936.

Laissez mijoter pendant 2 heures une demi-livre de pois chiches trempés de la veille avec une poule entière, un demi-jarret de bœuf, 300 g d'échine de porc, un jambonneau et une couenne de jambon mouillés à l'eau. Ajoutez une boule de farce composée de 250 g de bœuf haché, 250 g de gorge de porc haché, 2 cuillerées de persil concassé malaxé avec 2 œufs et 100 g de mie de pain trempée dans du lait.

A ce moment, n'oubliez pas les légumes : un épi de maïs, 3 poireaux, 6 petits navets, 6 carottes, 2 panais, un pied de céleri, 6 petites pommes de terre accompagnés de 300 g de saucisse noire et 300 g de *chorizo*. Assaisonnez seulement de sel sans utiliser aucune autre épice car le goût doit être naturellement suave et doux.

Après 3 nouvelles heures de cuisson, versez dans le bouillon 300 g de vermicelle que vous laisserez gonfler pendant 10 minutes.

Présentez la viande et les saucisses au milieu d'un grand plat creux. Découpez en tranches la boule de farce, entamez tous les légumes et arrosez le tout du bouillon aux vermicelles. Les Espagnols servent généralement la viande et les légumes à part.

Entrecôte Bercy

«Elle se pencha à mon oreille, et me confia :
— Et avec ça il cuisine de première. Les pieds de mouton poulette, l'entrecôte Bercy...»

CHAMBRE D'HÔTEL, 1940.

Laissez dégorger 100 g de moelle de bœuf dans une eau salée pendant 12 heures.

Faites réduire au deux tiers 25 cl de vin blanc avec 100 g d'échalotes hachées que vous mélangerez dans un bol avec 200 g de beurre ramolli. Ajoutez votre moelle de bœuf coupée en dés. Pressez le jus d'un citron et parsemez un bouquet de cerfeuil haché. Salez, poivrez.

Dressez votre beurre pommade dans une saucière.

Au dernier moment, grillez 6 entrecôtes salées, poivrées, rassises et bien persillées de gras. Si le gril vous fait défaut « ne désespérez pas », Colette a laissé des consignes pour ce cas : *« Ayez une poêle épaisse, à fond assez large et réservez-la pour un seul usage : toute sèche, et vierge, asseyez-la en plein gaz. Quand son fond rougit au rouge sombre, plaquez-y votre entrecôte, votre bifteck, qui pousseront les hauts cris. Instantanément ils brunissent et se couvrent de la croûte mince qui retient le sang. Si elles adhèrent un peu au fond passez-y une lame ou les dents d'une fourchette. Mais arrangez-vous pour ne retourner la viande qu'une seule fois. »* C. in Marie-Claire, 1932.

Ajoutez hors de la poêle, sur l'assiette chaude, une pincée de gros sel écrasé et de poivre moulu. Couronnez votre entrecôte d'une cuillère de glace de viande obtenue en réduisant un fond de veau à consistance de confiture et accompagnez du beurre composé.

Quant à votre poêle, « rebrûlez-la quand elle est vide, ne la lavez pas, ne la graissez pas. Chaque fois rougie, elle est propre ».

Gigot de onze heures

Dans un portrait inachevé, Anna de Noailles peint Colette dans son « bizarre et séduisant appartement » décoré d'« un vent de féerie » où le regard de l'hôtesse est « partout répété, surgissant, errant » et évoque le « gigot de onze heures » qu'elle mijote pour ses amis, un gigot « si tendre qu'on le déguste à la cuiller »...

Choisissez un gigot d'agneau entier pesant de 1,8 à 2 kg. Faites-le colorer entouré d'une couenne de lard dans une braisière garnie de 3 carottes, 3 oignons coupés en quartiers, une demi-boule de céleri-rave, 2 poireaux, 3 clous de girofle, un joli bouquet garni, une tête d'ail, 10 grains de poivre et une poignée de gros sel.

Mouillez largement le gigot au-dessus de son niveau avec un bouillon de bœuf.

Laissez cuire à couvert sous petite ébullition régulière tout en veillant à ce que le liquide garde un niveau constant pendant 11 heures.

Faites réduire le liquide de cuisson pour napper le gigot devenu très fragile et servez à la cuiller cette moelleuse effilochée d'agneau.

LA TOUTE JEUNE POÉTESSE ANNA DE NOAILLES DANS UN JARDIN.

ANNA DE NOAILLES EN VISITE CHEZ COLETTE REÇUT « UNE POIGNÉE DE VERDURE FROISSÉE, DONT LE PARFUM DE CITRONNELLE ADOUCIE ET DE GÉRANIUM LA RAVIT ». ELLE S'ENQUIT DE CONNAÎTRE LE NOM DE CETTE HERBE, MERVEILLE INCONNUE, ET COLETTE LUI NOMMA LA « MÉLISSE DES ABEILLES ». DEPUIS LORS LA POÉTESSE ASSOCIA TOUJOURS L'IMAGE DE COLETTE À CES « MERVEILLEUX CHEVEUX VÉGÉTAUX ».

« Je retrouve, j'apprécie encore le chic que ces messieurs de la boucherie mettent à parer la viande. Un boucher coupant, tranchant, élaguant, façonnant, ficelant, vaut un danseur, un mime. Boucher de Paris, s'entend. La huppe d'or sur le front, la joue pareille à l'aurore et l'oreille comme une rose, les cordons du tablier noués à l'ordonnance, juste ce qu'il faut de taches de sang çà et là, ah ! Madame, le boucher de Paris vaut le coup d'œil, sinon mieux. »

LE FANAL BLEU, 1949.

Ce petit oiseau migrateur appelé « pit-pit » par Charles Monselet est plus connu sous le nom de « bec-fin » ou « bec-figue ». Il émigre du nord de l'Europe pour venir se gaver en octobre de figues du Midi, d'où son nom. Il engraisse très rapidement en 5 ou 6 jours, et sa chair est alors vivement prisée par les gourmets. Brillat-Savarin n'hésitait pas à lui accorder la première place au rang de la succulence.

La gaude est une épaisse bouillie de farine de maïs qui servait de dîner traditionnel aux habitants des régions de l'est de la France. Refroidie, elle était dorée au beurre et servie sucrée comme du pain perdu.

Dessin de Barrère

Les pit-pits de Willy

RECETTE ORIGINALE DE WILLY

Willy raconte que, dans les années 1880, il rencontra un jour « un petit homme à ventre de bouvreuil, joufflu, dodu, l'œil finaud derrière des lunettes bonasses, l'air d'un chanoine en laïc » : c'était le célèbre rimeur gastronomique, Charles Monselet.

« *On causa. Tout de suite, Monselet me demanda mon pays d'origine et, dès qu'il apprit que j'étais Franc-Comtois, il se mit à déprécier les gaudes (sacrilège!), mais il vanta le gibier de nos montagnes.*
— Parions, me dit-il, que vous ignorez la manière de préparer les pit-pits (il omettait de prononcer le t).
— Les pit-pits ? Il n'y a jamais eu de ça chez nous !
Riant de mon ahurissement, il m'apprit que le pit-pit (anthus arboreus) s'appelle plus communément bec-fin et qu'un tôt-fait de ces petites bêtes est digne de la table des dieux.
Voici la recette : faire sauter une douzaine d'oiselets bien gras dans du beurre fin, humecter avec quelques gouttes de château-chalon et du bouillon velouté, ajouter persil, champignons hachés menu, une pointe d'échalote et servir sur croûtons dorés.
Ce Monselet était un sage. »

WILLY in « Le Livre d'or de la cuisine française », « Les Annales », Le Temps, 1912.

Tourte de mauviettes « Raymond Oliver »

RECETTE ORIGINALE DE RAYMOND OLIVER

« *Colette aimait les petits oiseaux. Certes elle avait une admiration pour ceux qu'elle voyait de son radeau. N'a-t-elle pas écrit : "Le moineau ce piéton."*
A ceux-là elle ne voulait aucun mal. Par contre passereaux, alouettes ou ortolans, de préférence en forme de pâté, convenaient admirablement à son idée de la gastronomie. Car elle avait sur le sujet de belles et bonnes opinions que j'ai toujours respectées. »

« *Comptez six oiseaux pour deux. Il est difficile de faire des tourtes individuelles. Désosser entièrement les oiseaux et les mariner quelques heures en les assaisonnant, en les aspergeant d'armagnac jeune et émiettant quelques fleurs de thym. Faire une farce avec porc, gras de jambon sec, volaille, en parties égales. Assaisonner avec un peu de quatre-épices, sel et poivre.* »

150

L'assaisonnement doit être discret. Couper autant de dés de foie gras et de truffes qu'il y a d'oiseaux.

Préparer une abaisse de très bonne pâte soit feuilletée soit brisée pour le fond et feuilletée pour le couvercle. Opérer comme pour une tarte Pithiviers. Une couche de farce, les oiseaux farcis avec un dé de foie gras et un de truffe, disposés en couronne. Recouvrir de farce et de pâte. Bien sceller. Dorer [au jaune d'œuf]. Cuire 30 minutes à four gai. Laisser à four tiède 15 minutes, et servir. Vous pouvez accompagner d'une petite sauce ou tout simplement de crème de lait dans laquelle on aura ajouté un peu de beurre fondu. Le tout assaisonné et fouetté.»

RAYMOND OLIVER, Cuisine pour mes amis, 1976.

La mauviette est le surnom donné par les cuisiniers à l'alouette des champs.

Le bœuf mode à l'ancienne de Madame Yvon

«Un jour que j'avais mangé, chez elle ["Mme Yvon, cordon-bleu de grande race"], un "bœuf à l'ancienne" qui comblait au moins trois sens sur cinq, — car outre sa saveur sombre et veloutée, sa consistance mi-fondante, il brillait d'une sauce caramelline, mordorée, cernée sur ses bords d'une graisse légère, couleur d'or, — je m'écriai :
— Madame Yvon, c'est un chef-d'œuvre! Avec quoi faites-vous ça?
— Avec du bœuf, répondit Mme Yvon.
— Mon Dieu, je le pense bien... Mais tout de même, il y a dans cet accommodement un mystère, une magie... On doit pouvoir, à une merveille comme celle-là, donner un nom?...
— Bien sûr, répondit Mme Yvon. C'est du bœuf.»

PRISONS ET PARADIS, 1932.

«Rue de Valois régnait, sous un beau balcon, ce vieux restaurant célèbre, Au bœuf à la mode. Le balcon est là. Le bœuf bien lardé, l'excellente mode de sa sauce, de ses carottes, de son lard, de son pied de veau, ont disparu.
Irai-je voir le bœuf gras?
Irai-je voir ma maîtresse?
D'un côté l'amour me presse.
Mais le bœuf a tant d'appas!»
LE FANAL BLEU, 1949.

Choisissez une belle aiguillette de bœuf de 1,5 kg. Piquez-la dans sa longueur de lardons marinés au cognac. Assaisonnez de sel épicé de poivre, muscade et girofle et laissez mariner 12 heures avec une bouteille de vin rouge et 20 cl de cognac.

Dans une braisière, colorez la pièce de viande avec une barde de lard gras. Ajoutez 3 oignons en quartiers, 3 carottes taillées sommairement, une petite boule de céleri coupée en morceaux, 4 poireaux, 20 échalotes, un bouquet garni, 2 feuilles de sauge, 4 tomates écrasées et 2 morceaux de sucre.

Versez dessus la marinade et compléter avec un bouillon de viande de bœuf. Laissez cuire à couvert pendant 4 heures en ajoutant à mi-cuisson deux pieds de veau blanchis. Décantez l'aiguillette. Découpez en tranches larges où apparaîtra en coupe le lard gras et disposez autour les pieds de veau désossés et coupés en dés. Laissez réduire la sauce si nécessaire, et liez-la avec 50 g de beurre.

Accompagnez de 8 carottes coupées en fines rondelles, cuites à l'eau salée et enveloppées d'un beurre fondu parfumé à l'ail.

Lièvre à la royale

« Laquelle d'entre vous se doute, lectrices, en savourant l'authentique "lièvre à la royale", fondant, chaud à la bouche, que soixante — vous lisez bien soixante — gousses d'ail ont coopéré à sa perfection ? Un lièvre à la royale réussi n'a pas goût d'ail. Sacrifiées à une gloire collective, réduites à une consommation sans seconde, les soixante gousses d'ail, méconnaissables, sont pourtant présentes, indiscernables, cariatides qui soutiennent une flore légère et grimpante d'épices ménagères... »

PRISONS ET PARADIS, 1932.

RAYMOND OLIVER QUE COLETTE APPELAIT
SIMPLEMENT «VÉFOUR».

Colette demanda à Raymond Oliver de lui préparer pour ses quatre-vingts ans cet étonnant lièvre à la royale. Le chef de cuisine du «Grand Véfour» choisit, quant à lui, de partager équitablement l'ail et l'échalote et aromatisa son lièvre de 40 gousses de chaque.

Un lièvre est dit «capucin» quand il est âgé d'un an et pèse entre 4 et 6 kg.

Tapissez une braisière de bardes fines de lard gras. Étendez sur le flan un lièvre capucin d'environ 4 kg que vous aurez débarrassé de ses rognons, cœur, foie et poumons pour les utiliser plus tard. Entourez-le de 60 gousses d'ail et 30 échalotes grises épluchées, de 2 carottes taillées en dés, d'un petit bouquet garni renforcé d'un panache de céleri et d'une feuille de sauge. Condimentez de 10 grains de poivre, 6 baies de genièvre et de 2 clous de girofle.

Recouvrez le lièvre de bardes de lard et arrosez-le copieusement de 4 bouteilles de vin de Bourgogne vieilli. Faites-lui prendre une douce ébullition et flambez-le pour brûler l'alcool et l'acidité du vin rouge. Oubliez-le pendant 6 heures dans un four échauffé à 160°.

Vers la fin de sa cuisson, hachez en purée les rognons, le foie, le cœur avec 10 échalotes grises, 10 cl de sang de lièvre, 50 g de beurre pommade et un trait de marc de Bourgogne. Salez, poivrez.

Délivrez le lièvre compoté dans un plat creux et couvrez-le momentanément d'une étamine humide pour qu'il ne se croûte pas à l'air.

Filtrez la sauce en appuyant fortement sur l'ail et l'échalote afin d'exsuder tous les sucs puis laissez reposer le fond de cuisson avant de le dégraisser complètement.

Dans une petite casserole, mélangez méthodiquement une partie de ce fond de sauce avec le hachis d'abats en évitant de le faire bouillir. Réchauffez le lièvre dans l'autre partie de la sauce dégraissée.

Juste au moment de servir, unissez les 2 sauces, vérifiez l'assaisonnement et servez le lièvre à la cuillère.

La daube de bœuf
au vin rouge d'Annie de Pène

La daube de bœuf au vin rouge d'Annie de Pène où se mêlaient les «gros dés de bœuf, l'ail, le lard fin, l'huile qui fait la partie obscure de la sauce» et «le vin qui en est la partie brillante», inspirait à Colette d'enthousiastes discours lyriques.

P iquez la chair d'un morceau de paleron d'environ 2 kg avec des lanières de lard gras puis coupez la viande en gros cubes et laissez mariner 12 heures au frais dans une terrine avec 2 pieds de veau, 4 carottes et 4 oignons émincés, une tête d'ail, un gros bouquet garni, 12 grains de poivre, quelques clous de girofle, 2 feuilles de sauge, 6 tomates bien mûres, 100 g de lard fumé, 2 bouteilles de vin rouge et 20 cl d'eau-de-vie de marc.

Le lendemain, faites colorer les morceaux de bœuf à l'huile d'olive dans une daubière. Assaisonnez. Ajoutez la garniture et le liquide de la marinade. Complétez avec du bouillon de viande. Fermez le couvercle et lutez la cocotte avec un mélange épais de 250 g de farine diluée dans 10 cl d'eau. Oubliez au four pendant 4 heures.

Brisez le lut, découvrez avec plaisir tous les arômes de votre daube...

Pressez la sauce au chinois au-dessus des morceaux de bœuf et des pieds de veau désossés, émincés et dressés dans un plat de service. Accompagnez de pâtes fraîches enrobées de beurre fondu.

ANNIE DE PÈNE FUT L'AMIE ATTENTIVE DE COLETTE DANS LES ANNÉES DE L'AVANT-GUERRE ET JUSQU'EN 1917, DATE DE SA DISPARITION. GERMAINE BEAUMONT, SA FILLE, PRIT EN QUELQUE SORTE LE RELAIS DE CETTE AMITIÉ. ANNIE ÉTAIT UN TRÈS FIN CORDON-BLEU ET COLETTE CONSERVA D'ELLE DE JUDICIEUX CONSEILS CULINAIRES.
CI-CONTRE : ANNIE DE PÈNE ET GERMAINE BEAUMONT, SUR LE PERRON DE LEUR «MAISON VILLAGEOISE», IMPASSE HERRENT.

Sido utilisait pour faire réduire le vin de la daube une vieille assiette creuse en terre qu'elle réservait exclusivement à cet usage. Elle ne la lavait qu'à la flamme nue qui ainsi la séchait. Craquelée au fil des ans, brunie de vin rissolé, elle devint un vase « sacré, presque consacré... ».

Les cœurs à la crème de Nounoune

«Il y a du fromage à la crème, Nounoune?
— Oui...
[...]
— Nounoune, tu me donneras l'adresse? l'adresse des cœurs à la crème, pour
mon nouveau cuisinier que j'ai engagé pour octobre?
— Penses-tu! on les fait ici.»

CHÉRI, 1920.

A l'aide d'une spatule en bois, «claquez» un fromage de vache très frais, non salé, dans une jatte en terre cuite. Pesez un poids de crème fraîche qui soit la moitié de celui du fromage frais. Fouettez cette crème jusqu'à consistance d'une crème Chantilly et incorporez-la délicatement au contenu de la jatte.

Garnissez le fond d'un petit moule en forme de cœur d'une étamine. Versez votre préparation et laissez reposer quelques heures dans un endroit frais. Sur chaque assiette, démoulez vos cœurs à la crème et goûtez-les nature ou saupoudrés de sucre fin.

Fromage blanc malaxé de poivre et d'oignons crus

«De l'ail, de blancs oignons, des cerises, gros sel et poivre sur le fromage blanc
à peine figé, le muscadet bien frais... Quand on ne peut pas faire mieux, c'est
une manière d'aller à la campagne.»

C. *in Almanach de Paris An 2000, 1949.*

H achez 3 oignons nouveaux, bulbes et fanes. Malaxez à 2 fromages de chèvre frais demi-sel, égouttés depuis 24 heures. Condimentez de quelques tours de moulin à poivre. Emplissez une écuelle de faïence ronde et conservez-la au frais pendant une nuit pour que le fromage frais puisse bien s'imprégner des parfums piquants de l'oignon et du poivre.

FROMAGES

Dans chacune de ses «provinces», Colette se préparera ce frais et fort fromage blanc auquel elle restera fidèle jusqu'à ses derniers jours.

PAGES SUIVANTES : LES CŒURS À LA CRÈME DE NOUNOUNE.

GLACES, GATEAUX ET DESSERTS

Colette tout au long de sa vie aima ces rustiques châtaignes, simplement bouillies ou assemblées comme ici en une galette dans l'étamine de son mouchoir. A soixante-seize ans, elle célébrait encore dans *La Fleur de l'âge* « sa secrète blancheur » et proclamait : « Automne, tu n'as peut-être rien de meilleur, rien de moins remplaçable que la châtaigne vernissée. »

La galette de châtaignes

RECETTE ORIGINALE DE COLETTE

« *Admirable chair blanche de la brune châtaigne, complément providentiel des repas réduits ! Tu es le pain délicat qu'apporte cette saison froide, chiche de lentilles et de haricots secs : tu abondes quand tout devient rare, quand la terre se referme. Je me permets d'indiquer que la châtaigne bouillie — il faut saler l'eau de cuisson — écorcée, nettoyée de sa seconde peau et de toutes ses petites cloisons, écrasée en pâte homogène avec du sucre en poudre, enfin pressée en petites galettes dans un linge fin est un régal sain et simple, un dessert complet si vous le servez en même temps qu'une confiture rouge. Un peu étouffant ? Que non ! Car vous avez bien pensé à déboucher auprès une bouteille de cidre mousseux ou de bon vin blanc, plutôt doux.* »

DE MA FENÊTRE, 1942.

PAGE DE DROITE : COLETTE À L'HÔTEL CLARIDGE EN 1931.
CI-CONTRE : PRÉPARATION DE LA GALETTE DE CHÂTAIGNES DANS UN « LINGE FIN ».
PAGES SUIVANTES : UNE LETTRE BLEUE ADRESSÉE À MARGUERITE MORENO POUR LA REMERCIER DE SON ENVOI DE CHÂTAIGNES.

ma Marguerite (c'est aussi...
qu'en prononce ton prénom d...
mon pays d'Yonne) je ne t'ai...
remercier des châtaignes ! Fig...
que lorsque Val me les a ra...
dans un petit sac, je n'ai...
démêlé si elle me les app...
ou si c'était toi. Et je...
éclairci que par la suite...
important ! Merci pour les...
guet, car j'en suis folle...
hivers je m'arrange pour u...
un peu malade, gonflée,...
le cœur comprimé (sic) ...
châtaignes bouillies. Foin...
Je ne les veux que bouillu...
leur peau, blanches, ...
Marie de Régnier

Sorbet citron

F aites bouillir 40 cl d'eau et 400 g de sucre. Ajoutez les zestes de 3 citrons et le zeste d'une orange. Laissez refroidir votre sirop ainsi parfumé puis versez 35 cl de jus de citron frais dont l'évocation seule suffit à susciter sur les « muqueuses sevrées » de Colette « la claire salive ».

Filtrez votre liquide au travers d'une étamine avant de le faire tourner dans la sorbetière.

Retirez votre sorbet avant qu'il ne durcisse car il doit se déguster encore moelleux. Servez dans des verres frappés.

Soufflé chaud au cœur de glace

M élangez 20 cl d'eau et 100 g de sucre à 30 cl de pulpe de cassis. Remuez bien pour dissoudre le sucre avant de faire prendre le liquide dans votre sorbetière. Moulez à la cuillère 6 belles boules de sorbet cassis. Conservez-les au froid jusqu'au moment de la préparation de la cuisson de vos soufflés. Là, vous les envelopperez de biscuit à la cuillère imbibé d'une bonne crème de cassis.

Faites bouillir 50 cl de lait avec 2 gousses de vanille fendues dans le sens de la longueur. Laissez cuire votre lait jusqu'à ce qu'il n'en reste que 30 cl à peu près. Retirez alors la vanille et versez-le sur 5 jaunes d'œufs blanchis avec 75 g de sucre. Complétez avec 50 g de farine. Faites bouillir le tout un instant puis ajoutez 5 blancs montés en neige très ferme à votre crème chaude.

Beurrez et sucrez l'intérieur de 6 moules à soufflé individuels. Répartissez dans le fond de chaque moule la crème à soufflé sur une hauteur de 2 cm. Déposez alors une boule de sorbet cassis isolé de la chaleur par son enveloppe de biscuit. Recouvrez avec le restant de l'appareil à soufflé jusqu'aux trois quarts du moule.

N'attendez pas pour mettre au four. Mettez aussitôt vos soufflés individuels dans un four chauffé à 180° pour une durée de 15 minutes.

Dégustez sans tarder ce soufflé insolite en chaud et froid.

La bombe Claudine

À l'occasion de la sortie des Claudine, Willy demanda au célèbre pâtissier-glacier de la rue de la Boétie, Latinville, de créer une glace et un gâteau portant le nom de la nouvelle héroïne. Nous n'avons pu retrouver la trace du gâteau. En revanche, nous avons une description de la glace Claudine qui, suivant la mode de l'époque, se présentait sous la forme moulée d'une bombe. Cette «bombe Claudine» est une glace pralinée renfermant en son cœur une mousse de pêche.

Pour confectionner le praliné, caramélisez à sec 100 g de sucre dans un poêlon en cuivre. Ajoutez 75 g de noisettes entières. Mélangez à l'aide d'une spatule en bois. Huilez une plaque sur laquelle vous renverserez vos noisettes caramélisées. Laissez-les refroidir puis pilez le plus finement possible avec un mortier.

Faites bouillir 50 cl de lait vanillé que vous verserez sur 4 jaunes d'œufs et 50 g de sucre mélangés. Transvasez le mélange dans la casserole et cuisez à feu doux votre crème anglaise. Ajoutez alors votre praliné. Faites tourner et prendre votre crème dans une sorbetière.

Gardez au froid un joli moule à bombe travaillé. Garnissez les parois internes de glace pralinée bien ferme en laissant un espace central. Réservez dans votre glacière.

Passez au tamis 300 g de chair de pêches fraîches bien mûres. Parfumez cette pulpe de 100 g de sucre glace et 5 cl de liqueur de pêche. Faites tiédir et ajoutez 2 feuilles de gélatine ramollies. Laissez refroidir puis incorporez 25 cl de crème fraîche fouettée.

Sortez votre moule à bombe et garnissez aux trois quarts l'intérieur de la cavité de mousse de pêche tout en émiettant au fur et à mesure des macarons à la noisette. Faites raffermir la mousse de pêche une heure au froid puis emplissez le reste du moule de glace pralinée.

Gardez votre bombe glacée à une température en dessous de zéro pendant 2 heures.

Pour démouler cette «bombe Claudine», trempez votre moule quelques secondes dans de l'eau chaude avant de le retourner sur un plat préalablement glacé.

Parsemez de copeaux de chocolat.

Voyant le succès remporté par *Claudine à l'école*, Willy qui, peut-être le premier de son siècle, eut véritablement le sens de la publicité, eut l'idée de lancer la marque « Claudine ».

Outre le célèbre col « Claudine » qui, assorti d'une lavallière à carreaux prend le nom de « claudinet » et est référencé au catalogue de la « Samaritaine » dès avril 1903, cette véritable ligne de produits vit naître également un chapeau Claudine, un parfum Claudine, une lotion Claudine, des cigarettes Claudine et même une bombe... glacée !

Parodiant le célèbre «J'accuse»
d'Émile Zola, Colette écrivit un petit
mot de remerciements à un ami qui
lui avait offert un «admirable édifice
de pain d'épice fourré, amandé,
fruité, fondant, unique» et accusa
Willy... d'en avoir mangé pendant
son absence!

PAGE DE DROITE : COLETTE ET PAULINE
PHOTOGRAPHIÉES
PAR HENRI CARTIER-BRESSON.

L'édifice de pain d'épice

D ans une bassine, versez au centre de 300 g de farine de seigle tamisée, 300 g de miel sauvage tiédi. Mélangez à la spatule de bois farine
et miel fluide puis ajoutez 80 g de sucre semoule, 30 g d'oranges confites
hachées, 30 g d'amandes hachées effilées. Poudrez d'un mélange d'épices
composé de 5 g d'anis vert, de 3 g de clou de girofle et de 3 g de cannelle.
Ajoutez, pour terminer, 5 g de bicarbonate de soude.

Remuez votre pâte élastique sans vous décourager pendant une quinzaine de minutes.

Reposez-vous quelques minutes : des bulles d'air doivent venir crever
à la surface de votre pâte.

Préparez alors un moule à hauts rebords grassement beurré. Garnissez-le
et laissez cuire votre pain d'épice une heure dans un four chauffé à 160°.

Démoulez et badigeonnez à l'aide d'un pinceau votre «édifice» d'un
lait très sucré, proche de la consistance d'un sirop et faites briller cette croûte
quelques instants à la chaleur de la bouche du four.

Laissez rassir quelques heures avant de déguster.

Le cake fondant de Pauline

*«Enfin elle cria à la vieille bonne : "Est-ce que tu n'aurais pas quelque chose ?
Ces garçons doivent avoir faim." En entrant dans le vestibule j'avais aperçu
un cake sur un plateau avec une bouteille de porto et trois verres. La servante
et le plateau firent instantanément leur entrée. Quant au gâteau trois tranches étaient déjà coupées avant notre arrivée, une pour chacun de nous.»*
GEORGES CHARENSOL, D'UNE RIVE À L'AUTRE, 1973.

E lle fait macérer 100 g d'écorce d'orange, de citron et de cédrat confits
avec 100 g de raisins de Malaga, 50 g de raisins de Smyrne, 50 g de
raisins de Corinthe, 100 g de melon confit dans 25 cl de sirop aromatisé
de 10 cl de rhum.

Pour garnir un moule à cake rectangulaire de 25 cm, elle fouette dans
un bol 200 g de beurre pommade avec 200 g de sucre et une pincée de
sel. Elle ajoute 2 œufs et 2 jaunes sans arrêter de fouetter sa pâte.

Elle égoutte les fruits confits et les ajoute au mélange avec un zeste de
citron frais râpé.

Elle verse en pluie 200 g de farine tamisée complétée de 2 g de poudre
à lever et termine sa pâte en incorporant 2 blancs d'œufs montés en neige
ferme.

Pauline habille l'intérieur de son moule d'un papier sulfurisé beurré
et fariné. Elle remplit aux deux tiers et cuit son cake dans un four chauffé
à 180° pour une durée de 45 minutes.

Soupe de cerises

PANIER DE CERISES, PEINT PAR LUC-ALBERT MOREAU, ET OFFERT À COLETTE.
CI-CONTRE : LA SOUPE DE CERISES SERVIE DANS SON SERVICE À DESSERT DE FINE PORCELAINE DE SÈVRES.

« Le jour où on ne cuisine pas. Un verre de lait par-ci, une lame de jambon par-là, et la soupe aux cerises de conserve avec des petits croûtons frits, — et puis on a liquidé le reste du fromage — c'est effrayant ce qu'on peut ingurgiter quand on ne mange pas... »

C. in *Almanach de Paris An 2000*, 1949.

Le jour où vous avez décidé de ne pas cuisiner... faites mousser dans une casserole 50 g de beurre, versez une cuiller de farine tamisée et remuez sans laisser prendre de coloration. Mouillez avec le jus des cerises que vous conservez au naturel dans un bocal d'une contenance de 1,5 l. Remuez sans cesse jusqu'à la prise d'une onde.

Régulez votre cuisson à un frémissement puis ajoutez les cerises dénoyautées. Sucrez, salez et poivrez légèrement. Laissez mijoter pendant 10 minutes.

Pendant ce temps, taillez 100 g de croûtons en pain de mie et jetez-les dans le beurre chaud d'une poêle. Dorez-les à feu vif rapidement. Égouttez-les.

Dans chaque assiette, disposez vos croûtons dorés puis trempez votre soupe de cerises servie bien chaude.

Le chocolat rôti de Claudine

«*Est-ce la maison de la sorcière ? "Château-gâteau, ô joli château-gâteau..."
Ainsi chantaient Hansel et Gretel devant le palais tentateur...
— Entrez, je suis dans le salon, mais je ne peux pas bouger, crie la même voix.
[...]
Elle se relève, très calme :
— Bonjour, Annie.
— Bonjour, Mad... Claudine.
[...]
— ... Il allait être cuit à point, je ne pouvais pas le lâcher, vous comprenez ?
Elle tient un petit gril carré en fil d'argent où noircit et se boursoufle une tablette
de chocolat rôtie.
— ... Mais c'est pas encore la perfection, cet outil-là, vous savez, Renaud ?
Ils m'ont fait un manche trop court, et j'ai une cloque sur la main, tenez !
— Montre vite.
Son grand mari se penche, baise tendrement la fine main échaudée, la caresse
des doigts et des lèvres, comme un amant... Ils ne s'occupent plus du tout de
moi. Si je m'en allais ? Ce spectacle ne me donne pas envie de rire...
— C'est guéri, c'est guéri, s'écrie Claudine en battant ses mains. Nous allons
manger la grillade, nous deux Annie.
[...] Et j'accepte, pour plaire à Claudine, des bribes de chocolat grillé, qui sent
un peu la fumée, beaucoup la praline.
— C'est divin, pas ?*» CLAUDINE S'EN VA, 1903.

Crème semi-liquide au chocolat

«*Je le gardai d'autant plus aisément qu'il y avait à dîner du poisson très frais,
des champignons retirés du feu avant qu'ils fussent réduits à l'état de loques
sans saveur comme on les sert sur presque toutes les tables françaises, et une
crème au chocolat semi-liquide, pour contenter ceux qui la veulent manger
à la cuiller et ceux qui aiment la boire à même le petit pot...*» LE KÉPI, 1943.

Faites tiédir 50 cl de lait dans une casserole. Ajoutez 200 g de chocolat
mi-amer râpé. Plongez une spatule et remuez à feu doux jusqu'à l'obtention d'un premier bouillon.

Ajoutez alors 25 cl de crème double. Poursuivez votre cuisson frémissante
durant 10 minutes puis retirez du feu. Mélangez séparément 2 jaunes d'œufs
à 50 g de beurre pommade. Versez dans le chocolat chaud et homogénéisez
votre mélange.

Remplissez vos petits pots en transvasant votre crème au chocolat au
travers d'une passoire.

Gardez-les au frais 12 heures avant de vous «contenter».

Dans *Claudine à Paris*, l'héroïne savoure également «le ventre d'une tablette de chocolat» qui «au feu, mollit, noircit, crépite et se boursoufle» et qu'elle déguste lentement, «accroupie à l'orientale devant le marbre du foyer», soulevant de «minces lamelles» de la pointe de son petit couteau pour mieux prolonger ce «goût exquis, qui participe de l'amande grillée et du gratin à la vanille»...
Tout ce qu'en dit Colette ne peut que nous engager vivement à tenter l'expérience : ne qualifiait-elle pas le chocolat de «philtre qui abolit les années»...

DANS CET ATELIER AMÉNAGÉ DE LA RUE DE COURCELLES, COLETTE, «NOURRIE DE BANANES ET DE NOISETTES COMME UNE GUENON EN CAGE», ENTRETENAIT «SANS PASSION» SA MUSCULATION, SOUS LES YEUX DÉTOURNÉS DE TOBY-CHIEN.

Meringues à la crème fraîche

« Les goûters du chaud jardin, l'été, les meringues farcies de crème fraîche, les framboises, se perdaient dans un excès de lumière et de chaleur. »

JOURNAL À REBOURS, 1941.

D ans un bassin de cuivre, fouettez vivement 8 blancs d'œufs avec une pincée de sel. Quand ils commencent à se raffermir, ajoutez 300 g de sucre glace et continuez à fouetter d'un geste régulier pour bien incorporer le sucre.

Parfumez d'une gousse de vanille grattée de la pointe d'un couteau. Déposez sur une tôle beurrée et saupoudrée de farine les quenouilles blanches de meringues moulées à l'aide d'une cuillère. Agencez-les de façon régulière.

Mettez-les sécher dans un four à 80° pendant 2 heures. Rangez-les refroidies dans un endroit à l'abri de l'air et accompagnez-les pour un goûter estival d'une crème fraîche sucrée, vanillée et aérée de quelques coups de fouet.

PAGE DE DROITE : BLANCHES MERINGUES MOULÉES À LA CUILLÈRE ET FRAMBOISES DU JARDIN SERVIES DANS LE DÉLICAT SERVICE DE SIDO, À L'OMBRE DU BOUQUET DE NOISETIERS.

Éclairs au chocolat

« Colette est une grande vivante. Pour la bien comprendre, pour la bien admettre, il ne faut pas le perdre de vue, et, rassuré, on s'attellera, plein d'enthousiasme, au char de ce dieu Dionysos femelle.
— J'ai faim, crie Colette, comme elle criait tout à l'heure : j'ai soif !
Débordante de vie, d'activité, elle resplendit de joie physique, serrant sur son cœur fort tout ce qui palpite pour l'étreindre, pour l'écraser, pour en exprimer la moelle substantifique. Puis, les mains en avant, elle va, elle va vers l'univers pour saisir encore et goûter à tout.
Entre-temps, passive, musarde, gourmette, elle croque des pommes et éventre des éclairs au chocolat.
— Pauline ! je vais me trouver mal de faim ! »

CLAUDE CHAUVIÈRE, COLETTE, 1931.

D ans une casserole, faites bouillir ensemble 100 g de beurre, 25 cl d'eau et une pincée de sel. Hors du feu, ajoutez 150 g de farine tamisée. Mélangez vivement à l'aide d'une spatule en bois. Dessécher votre pâte un instant sur le feu avant de la débarrasser dans un bol et de lui incorporer 4 œufs entiers.

Couchez les éclairs d'une longueur de 8 cm sur une tôle farinée en utilisant pour les former une poche équipée d'une douille unie. Laissez cuire au four à 180° pendant 20 minutes.

Pendant ce temps, battez ensemble 4 jaunes d'œufs et 100 g de sucre. Ajoutez délicatement 40 g de farine et versez dessus 0,5 l de lait bouillant.

Au menu de son quatre-vingtième
anniversaire, les académiciens
Goncourt inscrivirent les mets
préférés de leur présidente. Le
gâteau, clou du repas, orné des
indispensables bougies, fut fourni par
une pâtisserie de la rue de Buci, où,
au siècle dernier, Monsieur Quillet,
se rendit célèbre en garnissant, le
premier, ses gâteaux de crème au
beurre.

BEL-GAZOU PRÉSENTE À SA MÈRE SON GÂTEAU
DU QUATRE VINGTIÈME ANNIVERSAIRE,
SOUS LE REGARD ATTENTIF DES MEMBRES
DE L'ACADÉMIE GONCOURT RÉUNIS
POUR FÊTER COLETTE.

Donnez une nouvelle ébullition à votre crème tout en ne cessant jamais de
la fouetter.

Parfumez-la, une fois refroidie, de 100 g de chocolat noir fondu. Fendez les éclairs sur un côté. Emplissez de crème chocolatée.

Glacez-les de 100 g de chocolat noir fondu versé sur 200 g de sucre
glace chauffé dans 5 cl d'eau.

Le gâteau du quatre-vingtième anniversaire

Battez en mousse 250 g de sucre, 8 œufs et 2 pincées de sel dans une
bassine placée dans un bain-marie. Versez, hors du feu, petit à petit,
250 g de beurre fondu et alternez avec 250 g de farine de gruau tamisée.
Beurrez et poudrez de farine un moule rond à biscuit. Garnissez-le de cet
appareil et cuisez pendant 25 minutes dans un four chauffé à 180°. Démoulez
votre biscuit et laissez-le refroidir recouvert d'une étamine.

Préparez maintenant pour le garnir l'authentique crème Quillet. Donnez une onde à 10 cl de lait mélangé à 20 cl de sirop d'orgeat, 40 cl d'eau,
350 g de sucre et une demi-gousse de vanille fendue dans sa longueur. Versez ce liquide chaud sur 8 jaunes d'œufs et fouettez.

Remettez le tout dans votre casserole, chauffez et remuez constamment
votre crème en évitant l'ébullition. Passez-la au chinois et laissez-la refroidir.

Un peu plus tard, versez-la tout en continuant de fouetter régulièrement
sur 250 g de beurre pommade puis laissez raffermir.

Ouvrez votre biscuit en deux. Masquez de crème Quillet l'intérieur et
l'extérieur puis saupoudrez de sucre en grains.

Le nom de l'inventeur de ce gâteau, « Quillet », était inscrit à la crème
en son centre grâce à une poche munie d'une douille cannelée.

O mes chers Guillermets!
Il est là, et en bouteilles, ce vin adolescent qui "goûte" la framboise, comme on dit chez vous! Je sens que c'est un vin "qui ne se conserve pas" comme disait Annie de Pène. Pendant l'ancienne guerre, elle hantait les confiseries (il y en avait!) et achetait des gâteaux, desquels elle me disait, d'un air désabusé : "Ce sont des gâteaux qui ne se conservent pas. — Comment le savez-vous? — J'en suis sûre : rien qu'entre la rue de la Pompe et le bout de l'avenue Henri Martin, je les ai tous mangés."

Le craquelin est une très vieille pâtisserie médiévale apparentée aux échaudés dont le nom, attesté depuis 1265, est emprunté au néerlandais *crakelinc*. Les chanoinesses de Baume-lès-Dames, en Franche-Comté, en avaient fait leur spécialité et les aimaient «bien cuits et d'un blond foncé». On trouve des variantes dans la plupart des provinces françaises et notamment encore actuellement en Bretagne.

Les craquelins d'Annie de Pène

Colette supplia Annie de Pène de lui confier la recette de ses savoureux craquelins ; ce qu'elle fit, pour notre plaisir.

Pétrissez ensemble dans un grand bol 250 g de farine, 125 g de beurre, une pincée de sel, 15 cl de lait, 30 g de sucre puis ajoutez un œuf entier et un jaune d'œuf. Travaillez bien l'appareil et modelez une grosse boule de pâte qui doit rester souple.

Laissez-la reposer durant 2 heures avant de l'étirer sur une surface bien farinée en une abaisse de pâte de 1 cm d'épaisseur. Détaillez des lanières de 2 cm de large et de 12 cm de long. Arrondissez ces lanières en forme de boudins puis nouez-les individuellement.

Rangez les craquelins sur une plaque et avant de les mettre au four dorez-les avec un pinceau trempé dans de l'œuf battu.

Cuisez à 220° pendant 7 à 8 minutes. Sucrez ces gâteaux boursouflés, légers, tièdes et croquants dès leur sortie du four.

La flognarde est un «dessert vite fait et substantiel, goûter excellent, chaud ou froid» qui n'exige que peu d'ingrédients et se rapproche d'une pâte à crêpes croisée avec une génoise. Si vous choisissez de la manger chaude, servez-la très rapidement au sortir de la bouche du four car sa spectaculaire boursouflure s'aplatit bien vite.

Certains la disent originaire du Limousin. Colette la tenait pour native du petit village de Flogny dans l'Yonne où la femme de l'aubergiste, pendant que son mari changeait les chevaux, «battait vivement la pâte, enfournait» et faisait patienter les voyageurs autour d'une flognarde arrosée d'un vin de pays, gai, léger et fruité.

PAGE DE DROITE : MOELLEUSES GÉNOISES GLACÉES DE SUCRE ROSE.

(Dessin de Pazzi.)

COLETTE

PROFIL DE COLETTE PAR PAZZY.

La Flognarde

RECETTE ORIGINALE DE COLETTE

« Une friandise brune et rissolée, qui rit encore à petits éclats en sautant du four. »
« La flognarde que me fait Pauline quand j'ai bien travaillé, récompensez-en aussi vos enfants, vous n'y prendrez ni grande peine ni grande dépense, et c'est le plus expéditif des plats sucrés, cette grosse crêpe qui, dans le four, se fait enflée tellement qu'elle en crève.
Deux œufs seulement, un verre de farine, un d'eau froide ou de lait écrémé, une bonne pincée de sel, trois cuillerées de sucre en poudre. Dans la terrine, vous faites la fontaine avec la farine et le sucre, et vous incorporez peu à peu le liquide et les œufs entiers. Puis battez le mélange comme une pâte à crêpes : versez-le sur la tôle à tarte préalablement graissée, et mettez à tiédir sur un coin du fourneau ou du réchaud, pendant un quart d'heure, afin que le four ne "surprenne" pas votre pâte. Après quoi, en vingt minutes de cuisson, la flognarde devient une énorme boursouflure qui emplit le four, se dore, brunit, crève ici, gonfle là… Au plus beau de ses éruptions, retirez-la, sucrez-la de sucre en poudre légèrement et partagez-la toute bouillante. Elle aime bien une boisson qui pétille : cidre, vin mousseux ou bière pas trop amère. »
DE MA FENÊTRE, 1942.

Génoises glacées de sucre rose

« Mlle Devoidy s'en fut chercher, dans la cuisine, deux génoises glacées de sucre rose, sur une assiette décorée d'une grenade en flammes et de l'exergue "Au réveil des sapeurs-pompiers". »
GIGI, 1944.

Cassez six œufs dans une bassine. Battez avec 250 g de sucre, au bain-marie, jusqu'à ce que vous obteniez une mousse bien épaisse. Ajoutez alors 250 g de farine et une pincée de sel. Mélangez à la spatule puis versez pour finir 250 g de beurre fondu.

Beurrez l'intérieur d'un moule à génoise carré de 20 cm sur 20 et poudrez-le de farine tamisée. Remplissez-le délicatement puis faites gonfler cette pâte au four à 200° pendant 15 minutes.

Démoulez encore chaud sur une grille et recouvrez d'une serviette. Laissez refroidir.

Avec un couteau à dents de scie, rongez un centimètre tout autour de votre génoise puis découpez des gâteaux individuels de 6 cm sur 9.

Dans un torchon, enfermez 200 g de sucre en morceaux et concassez-les à l'aide d'un rouleau à pâtisserie. Teintez vos brisures de sucre de carmin végétal en les frottant entre vos mains.

Glacez vos gâteaux fondants de cette enveloppe rosée et croustillante.

Colette garda jusqu'à ses derniers jours le souvenir d'une marmelade de pommes que lui préparait Sido et qui surgit, de façon révélatrice, dans ses ouvrages, comme panacée, quand elle ou ses personnages sont malades.

La marmelade de pommes de Sido

« Je crois avoir manqué la marmelade comme l'avait manquée Pauline et que seule Sido savait réussir. »

RAYMOND OLIVER, CUISINE POUR MES AMIS, 1976.

Pour comprendre et, peut-être, réussir la marmelade de pommes telle que la faisait Sido, reportons-nous aux coutumes de sa province natale. Tout d'abord, choisissez de vieilles variétés de pommes comme des reinettes « dorées », « franches » ou « grises » ou encore ces pommes sauvages appelées, en poyaudin, des « crocs ». Épluchez-en 2 kg et ôtez-leur la partie centrale avec les pépins. Coupez-les en quartiers que vous laverez dans une eau acidulée d'un jus de citron.

Mettez-les à fondre à feu doux avec un verre d'eau, une gousse de vanille et un zeste de citron dans une « écuelle », sorte de plat en terre cuite, évasé et muni d'une queue en terre cuite également. Lorsque les pommes commencent à se défaire, remuez vivement à l'aide d'une spatule. Ajoutez un peu d'eau si cela vous paraît nécessaire et sucrez à ce moment (400 g). Votre marmelade de pommes va se caraméliser au contact de la terre cuite. Laissez-la s'attacher légèrement au fond de votre écuelle car c'est ce qui lui donnera ce goût si particulier.

Pour obtenir une marmelade bien lisse, remuez souvent et veillez malgré tout à ce que votre marmelade n'attache pas trop.

Vous pourrez juger de sa consistance en formant sur une assiette un petit tas qui ne doit pas s'étendre.

Pauline nous a confié que Colette tenait la tarte aux fraises sauvages (fraises des bois) pour un des plus délicieux desserts.

Tarte aux fraises sauvages

« Une vague molle de parfum guide les pas vers la fraise sauvage, ronde comme une perle, qui mûrit ici en secret, noircit, tremble et tombe, dissoute lentement en suave pourriture framboisée dont l'arôme se mêle à celui d'un chèvrefeuille verdâtre, poissé de miel, à celui d'une ronde de champignons blancs. »

LES VRILLES DE LA VIGNE, 1908.

Travaillez de la paume de la main 100 g de farine, 50 g de poudre d'amandes, 60 g de beurre ramolli en pommade, un jaune d'œuf, une pincée de sel et quelques gouttes d'extrait de vanille. Formez une boule que vous mettrez à raffermir au frais pendant une trentaine de minutes.

Étalez au rouleau votre pâte en forme de galette ronde, épaisse de 1 cm, sur une tôle à pâtisserie. Mettez-la à dessécher au four à 160° pendant 20 minutes.

Préparez une crème pâtissière avec un quart de litre de lait vanillé bouillant que vous verserez sur 3 jaunes d'œufs mélangés à 50 g de sucre et 20 g de farine. Redonnez une ébullition en fouettant constamment. Laissez refroidir dans un bol.

Parfumez votre crème d'un trait de liqueur de fraises des bois et allégez-la avec 3 cuillers de crème fraîche fouettée. Remuez délicatement en soulevant le mélange.

Masquez le fond de pâte sablée de cette crème. Garnissez le dessus de fraises sauvages que vous aurez gardées à température ambiante afin de les déguster tièdes, dans toute leur plénitude d'arômes délicats.

Saupoudrez de sucre glace.

Tarte à la frangipane

« Moche mais embaumée, remarqua Odette. Ce que tu peux aimer les parfums quand tu as la migraine ! N'est-ce pas, Bernard, qu'elle sent bon ?
— Épatamment, dit Bernard avec désinvolture, elle sent, attendez... la tarte à la frangipane... J'adore ça... » BELLA-VISTA, 1937.

Préparez un pâton de feuilletage en détrempant 500 g de farine avec 25 cl d'eau et 10 g de sel. Roulez en boule rapidement. Incisez d'une croix votre pâte pour l'aider à mieux se détendre. Laissez-la reposer une heure dans un endroit frais.

Étirez ensuite votre pâton à l'aide d'un rouleau pour former un carré de 25 cm de côté. Placez en son centre 500 g de beurre fin. Repliez chacun des côtés vers le centre puis étirez votre pâte sur une longueur de 50 cm. Repliez alors en 3 parties égales. Donnez un autre tour à votre pâte, de la même façon. Puis laissez reposer au frais 30 minutes. Donnez un deuxième tour identique et laissez reposer pendant 30 minutes. Donnez, enfin, un dernier tour avant d'étirer la pâte en deux rectangles de 30 cm sur 15 cm. Réservez au frais.

Dans une casserole, mélangez à l'aide d'une spatule en bois 100 g de farine, 2 œufs entiers, 3 jaunes avec 150 g de sucre en évitant les grumeaux.

Tout en chauffant maintenant votre mélange, versez petit à petit 60 cl de lait puis ajoutez 30 g de beurre. Quand votre crème s'est épaissie, retirez-la du feu et parfumez-la avec 100 g de macarons aux amandes, broyés — Colette broie et pile dans le mortier en marbre dépoli de Lumachelle qui appartenait à Sido. Laissez refroidir.

Sur une pièce de pâte, répartissez votre crème tout en évitant les bordures sur 3 cm. Humidifiez celles-ci avant de recouvrir de l'autre pièce de pâte. Appuyez sur le pourtour pour coller les deux pâtes.

Peignez le dessus d'un badigeon d'œuf et dessinez des lignes rapprochées à l'aide d'une pointe de couteau. Dorez votre tarte à la frangipane au four à 200 ° pendant une vingtaine de minutes.

Colette adorait ces « pâtes feuilletées qui gaspillaient le beurre ».

Dans ces pique-niques improvisés sur les collines de l'arrière-pays tropézien, Colette emportait jambon du pays, saucisson « façonné en gourdin », tomates, fruits et tarte à la frangipane.

Pour Colette, la frangipane évoque un parfum. L'étymologie lui donne raison. C'est un marquis italien, Frangipani, qui inventa au XVIe siècle la liqueur de « frangipane » pour parfumer la peau des gants ou composer des sachets de pommades de « bonne senteur ». Elle connut rapidement un usage alimentaire et devint bientôt indispensable à une pâtisserie à base de crème d'amandes pilées. Et, quand il s'agit de nommer cet arbuste des Amériques dont les fleurs rappelaient le parfum italien, le célèbre botaniste Linné le nomma « frangipanier ».

Dans la « Bourgogne pauvre » de Colette, le beurre est une denrée de luxe. À l'entrée de l'automne, avant qu'il ne coûte le double de l'été, chaque famille en achetait en grande quantité et le faisait fondre pour l'hiver.

Madame Millet-Robinet dont Colette était une lectrice très attentive décrit le procédé dans *La Maison rustique des dames*. Il faut le faire fondre doucement à feu nu, l'écumer tout au cours de son ébullition puis le couler avec soin dans des pots en grès. Le beurre refroidi, on couvre les pots et on les conserve dans un lieu sec et frais avant d'utiliser cette matière grasse essentiellement à la cuisson des viandes.

C'est « une opération de simple prévoyance, et ni la qualité du beurre fondu, lisse, jaune très clair, ni sa saveur n'ont rien de méprisable ».

Il était de coutume pour marquer ce jour traditionnel — et aussi dans le souci de ne rien laisser perdre — de confectionner avec l'écume de beurre ainsi recueillie une galette pour les enfants.

Galette à l'écume de beurre

« Tu voudrais une galette à l'écume de beurre ? Mais ce n'est pas le moment de fondre du beurre et pour te faire une galette moyenne, il me faudrait acheter pour fondre au moins cinq livres de beurre. Ce sera pour le mois de septembre. »

SIDO À C., 1909.

Mettez à fondre dans une casserole à feu vif du beurre en quantité suffisante pour obtenir 250 g d'écume rousse et bouillonnante. Malaxez à 500 g de farine et 2 pincées de sel fin car c'est une galette qu'il « faut saler et non sucrer... ». Étirez la pâte et repliez-la sur elle-même.

Après 30 minutes de repos, réalisez un nouveau pliage et donnez-lui une forme ronde de galette à l'aide du rouleau à pâtisserie.

Laissez-la reposer encore une trentaine de minutes avant de l'enfourner dans un four chauffé à 200°.

Goûtez cette galette « terriblement bonne », au goût paysan, « un peu âpre », après 20 minutes de cuisson.

Biscuits roses à tremper

« Où sont-ils eux-mêmes, ces biscuits, complices agréables du vin ? Biscuits trapus qu'une membrane fragile reliait par files de quatre, qui semblaient de pierre mais défaillaient, fondants, au contact du vin ? Biscuits roses, légèrement vanillés, destinés aux crus rouges, et biscuits excellents fabriqués à Montbozon, qui sont devenus introuvables... »

LE SIX À HUIT DES VINS DE FRANCE,
PLAQUETTE ÉDITÉE PAR LES ÉTABLISSEMENTS NICOLAS EN 1930.

Dans une jatte, mélangez 4 œufs entiers et 2 jaunes à 150 g de sucre parfumé d'une gousse de vanille fragmentée. Préparez un bain-marie et chauffez doucement le contenu de votre jatte tout en fouettant constamment afin d'obtenir une mousse jaune et bien épaisse. Retirez la vanille qui aura eu le temps de diffuser son arôme.

Hors du feu, versez en pluie fine 100 g de farine de gruau tamisée et incorporez-la en soulevant votre mousse à l'aide d'une spatule.

Colorez en rose avec quelques gouttes de carmin. Beurrez et poudrez de fécule de petits moules à biscuit rectangulaires. Remplissez-les à mi-hauteur et laissez votre pâte gonfler et se fragiliser pendant 15 minutes dans un four moyen chauffé à 170°.

Démoulez vos biscuits roses tout chauds. Recouvrez-les de sucre glace et laissez-les refroidir sur une grille avant de les tremper dans un verre de bon vin.

Le pudding blanc à la confiture et au rhum de Sido

«Il vous paraîtra étrange que mes Noëls d'enfant — là-bas on dit "nouël" — aient été privés du sapin frais coupé, de ses fruits de sucre, de ses petites flammes. Mais ne m'en plaignez pas trop, notre nuit du vingt-quatre était quand même une nuit de célébration, à notre silencieuse manière. [...] Nous n'avions ni boudin noir, ni boudin blanc, ni dinde aux marrons, mais les marrons seulement, bouillis et rôtis, et le chef-d'œuvre de Sido, un pudding blanc, clouté des trois espèces de raisins, — Smyrne, Malaga, Corinthe — truffé de melon confit, de cédrat en lamelles, d'orange en petits dés.»

DE MA FENÊTRE, 1942.

À l'avance, faites macérer dans 5 cl de rhum pendant 3 heures 150 g de raisins secs : Smyrne, Malaga et Corinthe panachés.

Quand vous êtes prêt à préparer votre pudding, faites bouillir 1 l de lait avec 150 g de sucre. Versez en pluie fine 250 g de semoule. Laissez frémir 15 minutes puis retirez du feu pour adjoindre 3 œufs entiers battus avec 3 jaunes. Ne cessez pas de remuer afin d'obtenir un mélange homogène. Laissez refroidir.

Égouttez vos raisins macérés puis mêlez-les à 150 g de melons confits coupés en dés, 100 g d'oranges confites hachées et 50 g de cédrats confits coupés en fines lamelles. Incorporez vos fruits confits à votre appareil refroidi avant d'emplir un moule à pudding.

Mettez à cuire au four à 150° au bain-marie pendant une heure. Laissez refroidir avant de démouler.

Pour confectionner la sauce du pudding de Sido, dénoyautez 1 kg d'abricots. Recouvrez-les de 750 g de sucre. Gardez-les une nuit au frais avant de les cuire doucement dans une bassine à confiture.

Lorsque les chairs des abricots commencent à se transformer en une purée translucide, ajoutez 500 g de gelée de groseille, 2 cuillères à potage

Colette demanda à Raymond Oliver de lui confectionner le fameux pudding blanc de Sido et lui indiqua sur un petit bout de papier bleu la marche à suivre et signa de cette affectueuse mise en garde : «Si c'est raté je vous dirai des choses dures : Amitiés.»

UN PUDDING ARROSÉ D'UNE BRÛLANTE SAUCE AU RHUM, LE HOUX À GRAINES ROUGES, LES ANIMAUX LOVÉS PRÈS D'UN FEU BIEN NOURRI, LE SILENCE TROUBLÉ PAR LE SEUL BRUIT DES PAGES TOURNÉES ET DES FLAMMÈCHES : COLETTE AVOUERA PLUS TARD ESSAYER D'IMITER SOUVENT LES NOËLS DE SON ENFANCE.

de rhum et une cuillère de fine. Laissez cuire un peu puis passez le tout au presse-purée.

Manipulez avec précaution la gelée brûlante. Vérifiez sa consistance en en versant une partie à l'aide d'une cuillère : la gelée doit filer. Si elle est trop épaisse, ajoutez un peu d'eau pour la détendre, dans le cas contraire, laissez-la cuire encore un peu.

Conservez cette sauce confite au bain-marie avant d'en lustrer, juste avant de servir, «le chef-d'œuvre de Sido».

Le gâteau à six cornes

« Voilà ce que je revois, en me penchant ce soir sur mon passé... Une enfant superstitieusement attachée aux fêtes des saisons, aux dates marquées par un cadeau, une fleur, un traditionnel gâteau. [...] Une fillette éprise du gâteau à six cornes, cuit et mangé le jour des Rameaux, de la crêpe, en carnaval. »
LES VRILLES DE LA VIGNE, 1908.

Cet usage du gâteau cornu, en forme d'anneau, béni le jour des Rameaux, était respecté dans toutes les régions de France et par chaque famille : les plus pauvres apportaient à bénir un gâteau en pâte à pain, les plus riches, un gâteau brioché. À Saint-Sauveur, les gâteaux étaient partagés et distribués à l'auditoire dans de petites corbeilles.

Les cornes, toujours au nombre de 3 ou de 6, étaient destinées à conjurer le Malin et éloigner les tentations diaboliques, nombreuses en cette période de Carême.

On l'évida par commodité car il arrivait à l'église enfilé sur une branche d'arbre que l'on venait également faire bénir ce jour-là pour célébrer le renouveau du printemps. Il s'est revêtu, selon les provinces, de plusieurs vocables : «cornues», «corniches» ou, un nom cher au cœur de Colette, «cornuelles».

PAGE DE DROITE : LE TRADITIONNEL GÂTEAU À SIX CORNES DU JOUR DES RAMEAUX.

Jetez dans un bol 500 g de farine, 20 g de sel, 40 g de sucre et aromatisez du zeste d'une orange et de 5 cl de fleur d'oranger. Délayez séparément 20 g de levure dans 20 cl d'eau et versez au centre de votre farine. Commencez à mélanger puis ajoutez 3 œufs entiers et, quelques instants plus tard, 100 g de beurre ramolli. Pour obtenir une pâte élastique, vous devez la travailler pendant une vingtaine de minutes.

Roulez-la en boule et laissez-la se reposer, couverte d'un linge, pendant 2 heures.

Votre pâte a gonflé. Divisez-la en deux parties et roulez, sur un marbre bien fariné, 2 boudins. Mouillez les extrémités au pinceau et formez 2 couronnes en refermant chaque boudin sur lui-même.

Coupez au ciseau sur une bonne épaisseur le bord de la pâte pour réaliser les 6 cornes. Dorez à l'œuf puis laissez encore gonfler la pâte pendant une heure.

Enfournez ensuite vos 2 gâteaux dans un four chauffé à 180° pendant 20 minutes.

Chocolats à la praline

« Colette téléphonait, la bouche pleine. Elle m'aperçoit, me fait signe d'entrer, un signe impérieux et sévère, en me tendant de son bras libre et nu une grande boîte de chocolats qui m'amène jusqu'à elle. "Mes pralinés, je ne vous dis que ça !" [...] "Non, mon cher, ce n'est pas à vous que je parlais, ils ne sont pas pour vous mes chocolats à la praline, vous ne les méritez pas ! c'est pour un jeune admirateur. Voui... De ma prose, bien entendu." »

MAURICE MARTIN DU GARD, LES MÉMORABLES, 1960.

Dans un poêlon en cuivre, faites caraméliser à sec 150 g de sucre. Ajoutez 100 g de noisettes entières. Mélangez à l'aide d'une spatule en bois puis renversez sur une plaque huilée. Pilez finement au mortier. Séparez et conservez 200 g de fin praliné pour garnir vos chocolats et 50 g pour les décorer.

Hachez au couteau 250 g de chocolat amer. Faites-le fondre au bain-marie tout en le travaillant à la spatule de bois. Versez 250 g de crème fraîche que vous aurez préalablement portée à ébullition à deux reprises. Lorsque le mélange commence à devenir bien homogène, retirez-le du feu mais continuez à le travailler tandis qu'il refroidit. Ajoutez alors votre praliné.

Quand votre pâte de chocolat s'est raffermie, emplissez une poche à douille unie et formez de petites billes d'une grosseur égale. Aplatissez-les au doigt pour qu'elles deviennent de petits palets. Conservez-les au froid pour qu'ils finissent de se durcir.

Pour envelopper vos cœurs de praliné, faites fondre 300 g de chocolat amer au bain-marie. Continuez à remuer hors du feu pour tempérer votre chocolat liquide. Trempez puis égouttez vos chocolats à l'aide d'une fourchette à deux dents. Veillez à ce que votre chocolat d'enrobage garde tout au long de cette opération la même température et la même fluidité.

Rangez au fur et à mesure vos palets sur un papier sulfurisé et déposez sur chacun une pincée de praliné aux noisettes juste concassé.

Massepains à l'angélique et au cédrat

Dans un mortier, pilez 250 g d'amandes émondées avec 2 blancs d'œufs. Réduisez ce mélange en purée puis ajoutez 250 g de sucre. Continuez à piler pour obtenir une pâte homogène. Ajoutez 100 g de cédrat et d'angélique confits taillés en fins petits dés.

Saupoudrez un plan de travail de sucre glace. Étendez votre pâte d'amande au rouleau sur une épaisseur de 1 cm.

Composez une « glace royale » avec 1 blanc d'œuf mélangé à 150 g de sucre glace. Recouvrez-en la surface de votre pâte d'amande.

CONFISERIES ET CONFITURES

De ses nombreux voyages d'affaires, Maurice Saurel rapportait toujours à son amie un souvenir gourmand. Du *jijone* à l'huile de sésame au célèbre turrón Colette fit connaissance avec toutes les friandises hispaniques mais sa préférence allait aux massepains truffés d'angélique ou de cédrat qu'aucune personne de son entourage n'arrivait à lui faire partager... Seule Bel-Gazou y avait droit, mais pas plus d'un !

PAGE DE GAUCHE : QUELQUES CONFISERIES POUR RÉCOMPENSER UN DUR LABEUR : MARRONS GLACÉS, BONBONS À LA VIOLETTE, NOIX, CHÂTAIGNES ET CORNUELLES.

Laissez sécher 15 minutes avant de découper en losanges à l'aide d'un couteau dont vous mouillerez la lame d'eau chaude avant chaque découpe.

Rangez vos losanges sur une plaque à pâtisserie et faites-les cuire dans un four chauffé à 150° pendant une quinzaine de minutes.

Au sortir du four, rangez-les sur un plat et décorez chaque massepain de petits losanges d'angélique et de cédrat.

Poires tapées Messire-Jean

Pelez 12 poires Messire-Jean bien mûres et gardez les peaux. Calez-les dans un pot en grès et recouvrez-les d'eau à hauteur. Serrez les peaux des poires dans une étamine nouée que vous laisserez flotter à la surface.

Posez le pot sur le feu et laissez frémir pendant 45 minutes afin d'obtenir une chair très fondante. Retirez les poires une à une avec beaucoup de soin et rangez-les, serrées, sur une claie d'osier. Mettez-les à dessécher pendant 6 heures dans un four à 80°.

Au sortir du four, tapez-les légèrement pour crevasser leur chair et permettre au sirop de première cuisson de couler. Égouttez-les et remettez-les au four pendant 6 nouvelles heures.

Recommencez l'opération des poires tapées décrite précédemment avant de les remettre au four pour un ultime séchage.

On peut déguster ces poires tapées de deux façons : soit on les sert, encore tièdes, baignant dans leur sirop de cuisson comme de succulentes poires cuites compotées, ou bien, on les conserve, séchées, dans une boîte hermétique, comme des bonbons ou des pâtes de fruits.

Mme Millet-Robinet, dont Colette suit avec grande attention les conseils domestiques, recommande vivement la poire « Messire-Jean » pour la confection des « poires tapées », friandises encore prisées dans nos campagnes, héritières des nobles confitures sèches du XVIe siècle.
Connaissant la passion de Colette pour cette vénérable variété de poire qui ne dégage véritablement toutes ses vertus gustatives que sous l'effet de la cuisson et du sucre, nous avons choisi de vous la décrire sous cet apprêt.

Violettes cristallisées

Cueillez 30 grosses violettes de Toulouse. Séparez chaque fleur de son pédoncule et de toute partie verte. Préparez dans une casserole étamée 25 cl d'eau portée à ébullition avec 600 g de sucre. Laissez reposer hors du feu votre épais sirop puis jetez-y vos violettes en veillant à ce qu'elles ne se touchent pas les unes les autres.

Donnez à nouveau un léger bouillon puis retirez du feu. Conservez ainsi 24 heures vos violettes sans les bouger ni les transvaser.

Une journée plus tard, faites tiédir votre sucre figé. Sortez vos violettes et égouttez-les sur un tamis. Faites-les sécher roulées dans une fine poudre de sucre colorée de violet végétal.

Tapissez le fond d'une boîte en fer de sucre et rangez sur ce lit blanc vos violettes cristallisées qui viendront au moment opportun décorer un gâteau, des chocolats ou se laisser grignoter, seules.

Colette aimait les violettes cristallisées de son enfance, dit-elle, parce que sa mère les aimait.

L.B. del. Ett.e Haucard. Sculp.

Messire-Jean.

COLETTE PRENAIT GRAND PLAISIR À PARLER
DE L'INTROUVABLE POIRE MESSIRE-JEAN QUI
DANS SA «ROBE D'UN GRIS ROUX», «SOUS UNE
FORME VOISINE DE LA SPHÈRE», CACHAIT «UNE
CHAIR CASSANTE ET MOUILLÉE, UNE SAVEUR
RELEVÉE PAR LA PLAISANTE ÂPRETÉ TYPIQUE».

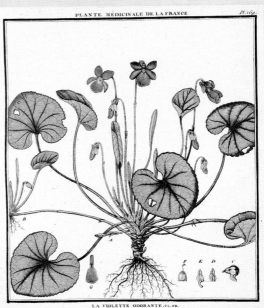

A CHAQUE FOIS QU'ELLE RESPIRAIT DES
VIOLETTES, COLETTE SENTAIT RESSUSCITER EN
ELLE TOUS LES PRINTEMPS DE SON ENFANCE.
VIOLETTES BLANCHES ÉCLOSES «PAR MAGIE»
DANS LES PRÉS, VIOLETTES MAUVES
RAPPORTÉES PAR LES PETITES BERGÈRES DES
FERMES ENVIRONNANTES OU VIOLETTES
BLEUES BOTTELÉES D'UN FIL DE COTON
ROUGE : «LA PALPITATION DE VOS PETITS
VISAGES INNOMBRABLES M'ENIVRE...».

Confiture de mirabelles

Marcel Schwob apprit à connaître la campagne poyaudine... en goûtant aux confitures de mirabelles confectionnées par la toute jeune épousée, Colette Willy.

«A qui donner le prix entre la framboise embrumée de pruine mauve, la montmorency d'une chair si fine que le noyau y transparaît à contre-jour, la mirabelle piquetée comme une joue ?»
Flore et Pomone, 1943.

Lavez et dénoyautez 2,5 kg de prunes mirabelles bien mûres. Faites bouillir dans une bassine à confitures un litre d'eau et 1,5 kg de sucre cristal. Renversez les prunes. Laissez reprendre l'ébullition pendant 5 minutes pour faire éclater les chairs.

Égouttez les fruits à l'aide d'une passoire et réservez. Laissez le sirop reprendre son ébullition, écumez et laissez cuire. Remuez de façon régulière jusqu'à ce que le sucre épaissi nappe votre cuillère.

Joignez alors les prunes et laissez cuire le tout ensemble pendant quelques minutes.

Avant de débarrasser, ajoutez une douzaine d'amandes amères.

Fondant vert à la pistache

Plus tard, les «petites fermières» enverront à Colette ces fondants verts à la pistache identiques à ceux de son enfance et la gourmande se félicitera de la constance des confiseurs.

«Séduit comme moi, et autrement aussi, Renaud s'approche du lit de Pomme, décidément sa préférée. Il laisse tomber un gros fondant vert à la pistache sur sa joue lisse. La joue tressaille, les mains s'ouvrent, et l'aimable petit derrière voilé s'émeut.
— Bonjour, Pomme.
Les yeux mordorés s'arrondissent, ébahis et accueillants. Pomme s'assied et ne comprend pas. Mais sa main s'est posée à plat sur le bonbon vert et râpeux. Pomme fait "Ah!" le gobe comme une cerise et prononce :
— Bonjour, Monsieur.»

CLAUDINE EN MÉNAGE, 1902.

Séchez à l'étuve 120 g de pistaches puis frottez-les entre les paumes de vos mains pour en peler la fine peau brunâtre. Dans un mortier, mouillez vos pistaches épluchées de 5 cl de sirop et pilez jusqu'à l'obtention d'une pâte bien lisse.

Dans une casserole à sucre, faites cuire 250 g de sucre en morceaux dissous dans 10 cl d'eau à une température de 130 °. Ajoutez votre pâte de pistache. Mélangez délicatement hors du feu à l'aide d'une spatule en bois.

Renversez votre mélange dans le mortier, pilez à nouveau jusqu'à ce que votre pâte soit lisse.

Mêlez alors 400 g de fondant pâtissier. Ajoutez une pointe de colorant végétal vert. Formez des boulettes de la taille de grosses olives.

Composez un sirop avec 50 cl d'eau et 1,2 kg de sucre. Laissez-le refroidir.

Couvrez le fond d'une plaque à bord haut de papier sulfurisé. Rangez dessus vos fondants et recouvrez-les du sucre encore tiède. Laissez-les candir pendant 24 heures.

Égouttez-les sur une grille et laissez-les sécher une nuit avant de déguster ces bonbons verts fondants et « râpeux » à la fois.

Gelée de framboises

« J'arrivais de l'école, et je marquais ma petite mâchoire, en croissants, dans un talon de pain frais, comblé de beurre et de gelée de framboises... »
SIDO, 1929.

Dans une bassine, recouvrez 2 kg de framboises de 1,5 kg de sucre cristallisé et arrosez de 2 verres d'eau. Gardez à la cave au frais toute une nuit. Dans une bassine à confiture en cuivre, chauffez vos fruits. À la première ébullition, retirez-les du feu et passez le jus tiède et les fruits éclatés au tamis.

Reversez le jus ainsi obtenu dans votre bassine à confiture et continuez la cuisson en remuant régulièrement. Vous aurez obtenu la juste consistance lorsque votre gelée nappera le dos de votre cuillère.

Versez alors dans des pots en verre.

Confiture de cornouilles

« Cornouille ou courgelle, petit fruit écarlate, bon pour la confiture. »
LA FLEUR DE L'ÂGE, 1949.

Portez à ébullition 1 kg de sucre cristal et 50 cl d'eau. Jetez dans le bouillon 1 kg de cornouilles bien mûres et aussi grosses que possible. Laissez bouillir 5 minutes. Égouttez les petites baies de la grosseur d'une olive et retirez leur noyau. Pendant ce temps, laissez cuire votre sirop à feu doux.

Ajoutez les fruits dénoyautés et continuez la cuisson de votre confiture jusqu'à ce que le sucre enrobe le dos de votre cuillère. Sucrez alors d'un verre de miel sauvage.

Gardez en pots cette excellente confiture de cornouilles au goût aigrelet et rare.

BOISSONS

Le vin d'oranges de Colette

RECETTE ORIGINALE DE COLETTE

Choisissez les mois de janvier ou de février pour préparer votre vin d'oranges. Il se fait traditionnellement avec des oranges amères, comme celles de Hyères que recommande Colette, mais, celles-ci se faisant de plus en plus rares, on ajoute désormais de l'écorce d'orange amère achetée dans le commerce : 20 g pour une orange douce. Dans ce cas, la macération ne doit pas dépasser 15 à 20 jours, sinon l'astringence prendrait le pas sur le tonique.

PAGE DE DROITE : COLETTE PHOTOGRAPHIÉE PAR LAURE ALBIN-GUILLOT. GARDE-MANGER GARNI DE BOCAUX DE CONFITURES ET DE LOURDS FLACONS REMPLIS DU TONIQUE VIN D'ORANGES.

« Le voilà bien, le "tonique"... Une gourde jumelée, en vieux cristal verdâtre, contient encore du vin d'oranges qui a bien cinq ans d'âge. Dans le fond d'un verre mince à hanche tordue — une coxalgie qui doit remonter à Louis XIII — qu'on me verse un doigt de vin d'oranges ; [...]. Il date d'une année où les oranges, du côté d'Hyères, furent belles et mûries au rouge. Dans quatre litres de vin de Cavalaire, sec, jaune, je versai un litre d'Armagnac fort honnête, et mes amis de se récrier : "Quel massacre ! Une eau-de-vie de si bon goût ! La sacrifier à un ratafia imbuvable !..." Au milieu des cris, je coupai, je noyai quatre oranges coupées en lames, un citron qui pendait, le moment d'avant, au bout de sa branche, un bâton de vanille argenté comme un vieillard, six cents grammes de sucre de canne. Un bocal ventru, bouché de liège et de linge, se chargea de la macération, qui dura cinquante jours ; je n'eus plus qu'à filtrer et mettre en bouteilles.

Si c'est bon ? Rentrez seulement chez vous, Parisiennes, à la fin d'un dur après-midi d'hiver ou de faux printemps, cinglé de pluie, de grêle, fouetté de soleil pointu, frissonnez des épaules, mouchez-vous, tâtez votre front, mirez votre langue, enfin geignez : "Je ne sais pas ce que j'ai..." Je le sais, moi. Vous avez besoin d'un petit verre de vin d'oranges. »

PRISONS ET PARADIS, 1932.

Eau de noix

« Eh bien, Vial ?... Un verre d'eau de noix ? »

La Naissance du jour, 1928.

Plus qu'une véritable « eau » de noix, il doit s'agir ici plutôt d'un vin de noix préparé à partir d'un vin blanc et non d'un vin rouge comme il est coutume de le faire également. Ramassez au mois de juin 10 noix vertes entières, immatures. Ôtez leur queue et concassez ensemble à l'aide d'une fourchette leur tendre enveloppe, leur coque encore molle et la noix à peine formée.

Déposez-les dans un pot en grès et versez dessus 400 g de sucre et un litre de vin blanc sec. Remuez puis recouvrez hermétiquement et laissez macérer votre vin de noix pendant 2 mois.

Au bout de ce laps de temps, décantez, filtrez puis mettez en bouteilles et cachetez.

Le vin de noix, amer et astringent, est réputé pour être fort rafraîchissant lors des grandes chaleurs. Il est recommandé également pour ses vertus dépuratives et digestives.

ODILE HENRION, LA « GRANDE ANAÏS » DE *CLAUDINE À L'ÉCOLE* POSSÉDAIT UNE « VÉRITABLE SCIENCE DU COMIQUE » QUI RENDAIT COLETTE « MALADE DE RIRE ».

Au café, le vin blanc « façon Claudine » se servait sous le nom de vin blanc « limé » et dans son village natal, on aurait dit que c'était un vin blanc « corrompu », c'est-à-dire coupé d'eau.

Le vin blanc de Claudine

« La grande Anaïs déplore amèrement le départ de la fille du pharmacien qui nous fournissait jadis des flacons pleins d'alcool de menthe trop peu additionné d'eau, ou encore d'eau de Botot sucrée ; moi qui suis une nature simple, je me borne à boire du vin blanc coupé d'eau de Seltz, avec du sucre et un peu de citron. »

Claudine à l'école, 1900.

Sirop de framboises

« Écoutons ce que disent ces gens-là, assis devant de grands verres embués où tremble le sirop de framboise coupé d'eau fraîche... Ils ne me parlent plus directement. Ils parlent de moi comme d'une personne endormie à côté d'eux... »

La Retraite sentimentale, 1907.

Choisissez 3 kg de framboises saines et bien mûres. Écrasez-les dans 3 kg de sucre. Versez les trois quarts d'un litre d'eau sur cette purée. Dans une bassine à confiture, faites bouillir votre purée de framboises. Remuez très souvent et laissez cuire « à la nappe », jusqu'à ce que vous obteniez un onctueux sirop.

Filtrez au travers d'une étamine en pressant énergiquement afin d'obtenir un sirop propre.

Mettez en bouteille et cachetez. Ce sirop peut être dégusté sans attendre.

La frênette de Musidora

MUSIDORA, «ROMANICHELLE» À LA «FRISURE FURIBONDE».

«Je me souviens que, tout encombrée d'une grossesse, je m'ennuyais du music-hall, et j'allais souvent passer des soirées paisibles dans la loge de Musidora, que j'ai connue au sortir de l'enfance. [...] Vedette, elle trônait dans une loge tendue de papier blanc et rose, pourvue d'un divan rembourré de noix et d'un fauteuil d'osier. [...] J'allais oublier le meuble essentiel : une grande jarre méridionale qui contenait, pétillante et renouvelée, la boisson inoffensive nommée "frênette", que fabriquait l'habilleuse. L'unique fauteuil d'osier, le plus grand verre de frênette fraîche, tout cela était mon lot de privilégiée. »

NUDITÉ, 1943.

Faites bouillir dans 1 l d'eau 25 g de feuilles de frêne recouvertes de leur manne sucrée avec 10 g de jeunes pousses de houblon, 10 g de graines de coriandre, 10 g de graines de genièvre, 10 g de baies de sureau et 10 g de feuilles séchées de bigaradier. Couvrez et laissez frémir à petit bouillon pendant une quinzaine de minutes.

Filtrez et versez votre infusion sur 500 g de sucre. Après dissolution, ajoutez 5 g d'acide citrique.

Délayez à part 2 g de levure de bière dans un bol d'eau froide. Attendez 3 ou 4 heures avant de la joindre à votre préparation.

Versez dans une jarre et complétez avec de l'eau pour obtenir 10 l de boisson. Laissez fermenter dans une cave fraîche une huitaine de jours avant de commencer à soutirer.

La frênette était appelée «boisson hygiénique» dans nos campagnes. C'est une limonade naturelle et peu coûteuse qui était, à l'origine, simplement fabriquée à partir de feuilles de frêne macérées dans de l'eau. Sa formule s'est petit à petit enrichie de genièvre, de coriandre et de bigarade pour rehausser son goût ; le sureau lui apporte sa belle couleur.

Le lait d'amandes de Colette

RECETTE ORIGINALE DE COLETTE

«Pour deux litres de lait d'amandes il faut plus d'un kilo d'amandes fraîches et saines, épluchées. Pilez dans un mortier de marbre, avec une petite quantité de sucre. Ajoutez, goutte à goutte, l'eau nécessaire à l'émulsion. Pendant la nuit suivante, le mortier et son contenu, voilés d'un linge, resteront au frais. Le lendemain, filtrez dans une poche de batiste, ou de mousseline à trame serrée. Goûtez, sucrez encore un peu, ajoutez la quantité d'eau qui manque à vos deux litres. Si vous servez promptement vous pouvez remplacer l'eau par du lait fraîchement trait. Ne frappez jamais le lait d'amandes, mais laissez flotter, sur son onde un peu bleue, crémeuse, une feuille de citronnelle, verte, à peine immergée, effilée comme une jonque de Chine... Et n'oubliez pas, non plus — tout est perdu sans elle ! — la goutte d'essence de roses, une goutte, une seule... »

PRISONS ET PARADIS, 1932.

Rencontré au Maroc, ce lait d'amandes était devenu pour Colette la boisson favorite de ses moments de faiblesse. Quand quelque fièvre la fatiguait, il apparaissait, chauffé par les bons soins de Pauline et cet orgeat chaud, douceur laiteuse et parfumée, l'entraînait alors dans d'angéliques rêves peuplés de couleurs pastel...

En Provence, Colette faisait avec le «vin neuf», ce qu'on appelle là-bas, le «vin marquis». Il peut être simplement bouilli et réduit au tiers, mais elle préférait en faire une boisson plus raffinée en le rehaussant d'aromates. Elle garda cette habitude au Palais-Royal et le préparait alors avec du vin de Beaujolais que lui envoyaient Made et Jean Guillermet. Elle ajoutait, nous a confié Pauline, aux 10 grains de poivre, à «l'épave» de cannelle et à la «rouelle» de citron, une pincée de noix de muscade et filtrait avant de servir. Parfois, Colette déposait aussi sur le vin fumant «un toast de pain de ménage, humecté de très bonne huile d'olive» et dégustait vite cette «soupe au vin» avant que le pain ait perdu «sa consistance croquante».

Cette recette, inspirée de l'expérience d'une grande voyageuse, Ida Pfeiffer, est également relatée dans *L'Étoile Vesper*, mais sous le nom de «brasillante eau-de-feu». Colette conseille pour la réussir de réunir des ingrédients qui n'aient rien perdu de leur «virulence» et avoue faire «plus de crédit» au poivre de Cayenne, «incendie gai, salutaire aux reins», auquel on peut se fier «sans crainte», qu'à l'alcool qui n'est, selon elle, qu'«un article de foi».

Quand Sido faisait la liqueur de cassis, elle avait l'habitude de jeter aux poules le marc encore tout imprégné d'alcool. Le spectacle étonnant de ces poules saoules, «titubantes, piaillantes et chantant des chansons de corps de garde» restera vif chez l'écrivain.

Le vin marquis

RECETTE ORIGINALE DE COLETTE

« Veuf de ceps, mon pays natal buvait du vin. Le petit bourgogne anonyme y coulait en chopines, en setiers et demi-setiers, en verrinées. Il signait sa présence et sa vogue, sur les tables de bois grattées au tesson de verre, en cercles violâtres indélébiles. Les soirs d'hiver, le vin jeune — six sous le litre — bouillait à pleins pots, et dans son écume rose dansaient la rouelle de citron et l'épave de cannelle, pêle-mêle avec les dix grains de poivre et les radeaux des rôties naufragées. »

EN PAYS CONNU, 1949.

Potion pour réveiller un mort

RECETTE ORIGINALE DE COLETTE

« Il s'agit d'une "potion" fébrifuge qui, selon le tempérament du fiévreux, tue un bœuf ou ressuscite un mort. Je la propose au bœuf et au défunt. Prenez un demi-verre de bonne et forte eau-de-vie, auquel vous ajoutez une cuiller à café de poivre de Cayenne et six cuillers à café de sucre de canne pulvérisé. Mêlez le tout. Laissez reposer 4 ou 5 heures. En cas de fièvre, prenez, au moment où monte la température, deux cuillerées à café de la préparation toutes les heures, jusqu'à ce que vous ayez tout bu. Chaque fois vous remuez le liquide avec soin. »

C. *in Almanach du Beaujolais*, 1946.

La liqueur de cassis de Sido

En été, lors de la pleine maturation du groseillier noir, cueillez, lavez puis égrappez 2 kg de baies de cassis bien mûres. Mélangez une poignée odorante de jeunes pousses tendres de feuilles de cassis à vos fruits puis recouvrez le tout de 2 kg de sucre cristal.

Conservez au frais tel quel pendant toute une nuit pour laisser les baies éclater de façon naturelle.

Le lendemain, arrosez de 2 l d'eau-de-vie, mélangez bien avant d'enfermer hermétiquement dans des bocaux. Oubliez-les pendant un mois dans une resserre à température ambiante.

Au terme de cette macération, passez le contenu des bocaux au presse-purée puis filtrez à l'étamine. Appuyez énergiquement sur les peaux et les graines pour bien en exprimer le succulent liquide.

Jetez, comme Sido, ce marc à votre basse-cour pour régaler vos poules puis mettez votre liqueur de cassis en bouteilles et cachetez à la cire.

Liqueur de prunelles bleues

« Dès la gelée qui posait une vitre légère sur les seaux pleins, près de la pompe, j'allais récolter les prunelles flétries, que ma mère infusait dans l'alcool "de bon goût". »

JOURNAL À REBOURS, 1941.

Lavez 1 kg de prunelles bleues ridées par les premières gelées d'octobre. Séchez-les dans un torchon avant de les concasser et de fendre leur noyau. Jetez-les dans un pot en grès. Couvrez-les de 4 l d'alcool « de bon goût » coupé à 40° (40 cl d'alcool pour 60 cl d'eau distillée).

Laissez macérer pendant 4 semaines en veillant à remuer votre pot en grès chaque semaine.

Après ce mois écoulé, faites bouillir 1 l d'eau et 3 kg de sucre dans une bassine en cuivre à confiture. Laissez cuire « au grand boulé ». Vérifiez votre cuisson en trempant le bout d'une cuillère dans votre sucre puis dans l'eau froide. Formez une boule du bout de vos doigts : elle doit être moelleuse.

Versez le contenu de votre macération sur votre sucre et mélangez doucement.

Attendez son refroidissement complet avant de filtrer et de mettre en bouteilles. Patientez encore un mois avant de goûter votre liqueur de prunelles bleues.

L'alcool « de bon goût » est un alcool pur, titré à 95°. On allait l'acheter chez le pharmacien du village aussi bien pour un usage interne qu'externe. Il soignait les plaies mais aussi, coupé avec de l'eau pour le descendre à 40°, il servait à conserver prunelles, framboises, mûres ou cerises. Ces fruits à l'eau-de-vie étaient le complément indispensable à cette époque de tout bon repas.

PRUNELLES BLEUES GRISÉES DE FROID.

UTILES
ET
ACCESSOIRES

Colette raconte dans une lettre à Germaine Beaumont que sa fille, Bel-Gazou, s'était fait une spécialité des pickles.

PAGE DE DROITE : LE BOCAL DE PICKLES DE BEL-GAZOU.
CI-DESSOUS : UNE DÉDICACE DE COLETTE À SA FILLE.

Les pickles de Bel-Gazou

«*Ces verdures auxquelles nous refusons le grade d'aliments, nous leur faisons place dans le ravier et dans le bocal, dans le tonnelet de grès où sommeille et s'enfle la mystérieuse "mère" du vinaigre. Quand la saison défleurissait la capucine et gonflait sa graine, j'envoyais celle-ci rejoindre les câpres en boutons dérobés au câprier de Segonzac, les rameaux grassouillets de la criste-marine, les petits melons avortés, les carottes débiles, quelques haricots verts filiformes, les grains verjus d'une treille, tout un solde saisonnier qui, renonçant à s'enrichir de sucre, précipitait dans le vinaigre ses pâles vertus, aux fins d'égayer plus tard la mélancolie du veau froid, et de forcer la dernière résistance d'un bœuf gros sel.*»

POUR UN HERBIER, 1948.

Vers la fin de l'été, rangez par strates dans un grand bocal en verre d'une capacité de 3 à 4 l : 100 g de cornichons, 200 g de petites tomates vertes, 4 petits artichauts coupés en quatre, 2 petits poivrons rouges effilés dans leur hauteur, 100 g de haricots verts, 3 pâtissons coupés en quartiers, 100 g de petites carottes, une centaine de grammes de sommités de chou-fleur en ayant pris soin d'avoir coincé le long des parois, une branche de basilic, de l'estragon et des cheveux de fenouil. Intercalez 50 g de graines de capucines, 50 g de câpres, 50 g d'algue criste-marine, 100 g de grains de raisin vert et quelques radis.

Mettez à bouillir 1,5 l de vinaigre d'alcool coloré et 0,5 l de vin blanc avec une vingtaine de grains de poivre, 12 échalotes, 12 gousses d'ail, 12 petits oignons, 100 g de gros sel, 50 g de sucre et une pincée de curry.

Versez ce mélange encore bouillant dans le bocal garni. Laissez macérer et consommez à partir du neuvième jour.

Le café au lait de concierge

RECETTE ORIGINALE DE COLETTE

Toute Colette est ici résumée : cet apprêt qui semble rustique, roboratif, elle le prépare avec la minutie et l'attention qu'un grand maître queux apporterait à l'une de ses plus savantes compositions. Sans se laisser emporter par la facilité de lyriques décorations ou de détails superflus, elle va à l'essentiel, à l'assaisonnement, qui rythme les saveurs et fait le goût juste : cette pincée de sel, tout comme la goutte d'essence de roses dans le lait d'amandes, semble insignifiante, mais elle est indispensable à l'équilibre. Tel est, peut-être également, transposé à son art de l'écriture, le secret du style de Colette.

« Un certain "café au lait de concierge" dont il est question dans Chéri *a éveillé bien des curiosités que j'ai laissées — c'est le mot — sur leur faim. Une concierge me donna autrefois la recette d'un petit déjeuner propre à chasser le frisson des matins d'hiver.*

Ayez une petite soupière — la petite soupière individuelle pour soupes gratinées, ou un gros bol, en porcelaine à feu. Versez-y le café au lait, sucré et dosé à votre goût. Préparez de belles tranches de pain — pain de ménage, le pain anglais ne convient pas — beurrez-les confortablement et posez-les sur le café au lait qui ne doit pas les submerger. Il ne vous reste qu'à mettre le tout au four, d'où vous ne retirerez votre petit déjeuner que bruni, croustillant, crevant çà et là en grosses bulles onctueuses.

Avant de rompre votre radeau de pain recuit, jetez-y une poussière de sel. Le sel mordant le sucre, le sucre très légèrement salé, encore un grand principe que négligent nombre d'entremets et pâtisserie parisienne, qui s'affadit faute d'une pincée de sel. »

C. *in Marie-Claire*, 27 JANVIER 1939.

La véritable eau de coings

RECETTE DE BEAUTÉ ET DE SANTÉ

L'eau de coings a des propriétés adoucissantes et astringentes qui en font une lotion propre à raffermir la peau et les pores dilatés. Colette l'intégra dans sa ligne de produits cosmétiques sous le nom de « Peau d'Ange ».

La médecine populaire la préconise comme boisson efficace, semble-t-il, contre les douleurs abdominales.

Colette apprit dans son enfance d'une femme « singulière » qui « inspirait de la méfiance et même de la crainte » car elle était née hors du département que « la véritable "eau de coings" se fabrique avec les pépins du fruit et quelques rubans de pelures ».

À l'automne, épluchez 2 coings. Gardez les chairs pour faire une gelée. À part, faites bouillir dans 1 l d'eau, 50 g de pépins de coings encore enveloppés de leur « mucilage transparent » et 50 g de peaux qui laisseront échapper leur « vapeur acidulée ». Laissez frissonner pendant 5 minutes.

Ajoutez 1 g d'acide salicylique acheté chez votre pharmacien. Laissez refroidir puis filtrez.

Tisane de violettes
contre les rhumes d'automne

RECETTE DE SANTÉ

« Ménagères économes, qui récoltez en leur temps fleurs et feuilles médicinales, savez-vous pourquoi votre tisane de violettes est insipide ? C'est parce que vous avez cueilli les violettes au soleil. Cueillez-les à l'ombre, dans les premiers jours de leur saison, sans tiges, et séchez-les à l'ombre, sur du papier blanc et non sur une serviette. On dit chez nous que le linge "boit le parfum" et méfiez-vous de la table de marbre parce que, froide, elle "surprend" vos fleurs tièdes, les recroqueville et leur ôte une partie de leur âme. »

C. *in Marie-Claire*, 1940.

Tout ce que préconise Colette est vrai et reconnu. La violette entre dans la composition de fleurs pectorales qui soignent la toux mais, en infusion, préférez-lui cette recette car les différentes propriétés des plantes s'accumulent et le remède n'en est que plus efficace. Il ne faut effectivement pas utiliser les tiges car elles sont vomitives.

Faites bouillir 1 l d'eau. Quand votre bouilloire siffle, versez votre eau sur 20 g de fleurs de violettes cueillies et séchées d'après les indications données par Colette. Laissez infuser une quinzaine de minutes. Filtrez et sucrez avec du miel. Buvez chaud de préférence car la chaleur décongestionne.

COLETTE PHOTOGRAPHIÉE AVEC « LA CHATTE » POUR LE CENTIÈME NUMÉRO DE *MARIE-CLAIRE*. *PAGES SUIVANTES :* DÉBAUCHE DE ROSES POUR LE VINAIGRE « ROSAT ».

Le tussilage surnommé « pas d'âne » à cause de la forme particulière de ses feuilles fait également partie avec les fleurs de violettes, de bouillon blanc, de coquelicot, de guimauve, de mauve et de pied-de-chat du mélange des fleurs pectorales, improprement nommé, « quatre fleurs ».

Remèdes « Colette » contre la grippe

RECETTES DE SANTÉ

« Cueillez le "pas d'âne" pour vos rhumes futurs, mais n'attendez pas qu'il épanouisse entièrement ses petits soleils d'un jaune pauvre. »

C. *in Marie-Claire*, 1940.

«*Je connais un meilleur préventif. Sacrifiez à sa préparation une demi-bouteille de bon champagne sec que vous ferez bouillir vivement et brièvement dans une petite casserole. Au premier gros bouillon, coupez le feu et ajoutez une généreuse dose d'armagnac. Buvez en vous brûlant. Je conseille aux prégrippés de se coucher avant de boire. Car j'en ai vu qui, sensibles à l'alcool et ébranlés par la fièvre, tombaient comme on dit, raides morts. Mais aucun n'a manqué, le lendemain, de se relever guéri.*»

C. *in Marie-Claire*, 1940.

Le vinaigre de roses de Sido

RECETTE DE BEAUTÉ ET DE SANTÉ

«*En remontant plus loin — beaucoup plus loin — je me souviens que ma mère préparait, l'été, et tenait en réserve, pour le cas où ses enfants auraient eu ces engelures ouvertes qu'on appelle chez nous "crevasses", une bouteille de vinaigre de roses, pétales de roses rouges infusés un mois dans du vinaigre fort, le tout clarifié au papier-filtre.*»

DE MA FENÊTRE, 1942.

Pour faire votre vinaigre de roses, connu également sous le nom de «vinaigre rosat», faites macérer à froid 300 g de pétales de roses rouges de Provins dans 3 l de vinaigre de vin blanc. Laissez-le reposer un mois. Passez au travers d'un premier tamis en appuyant fortement sur les pétales pour en exprimer toute leur essence puis filtrez finement.

Transvasez dans des bouteilles bien propres et ajoutez dans chacune 5 boutons de roses dont Colette aimait la «confiture d'odeur».

Ce deuxième remède, plus excentrique, rappelle la méthode populaire dite «des trois chapeaux». Vous pendez un chapeau au pied de votre lit, vous buvez un grog bien tassé avec deux aspirines et, l'alcool favorisant l'exsudation, quand vous voyez trois chapeaux, c'est que vous êtes en voie de guérison...

«A BIENTÔT N'EST-CE PAS? CHÈRE COLETTE N'OUBLIEZ PAS VOTRE CHAMPAGNE CHAUD CONTRE LA GRIPPE. J'EN AI TÂTÉ UNE FOIS, SUR VOTRE CONSEIL, ET SUIS RESTÉ QUARANTE-HUIT HEURES DANS LA BÉATITUDE.» FRANCIS CARCO À COLETTE, 4 OCTOBRE 1945.

La petite Colette se complaisait à sucer en cachette «la compresse embaumée» à «l'odeur mordante pour son double goût de vinaigre et de rose...». Elle a dû sûrement aussi l'employer comme lotion pour le visage car c'est un doux astringent qui nettoie et adoucit la peau.

Le vinaigre estragonné de Made

Versez 3 l de vinaigre de vieux vin rouge dans un pot en grès. Ajoutez 3 gousses d'ail, 10 grains de poivre et 20 semences de fenouil. Noyez un gros bouquet d'estragon juste cueilli, de 500 g environ. Couvrez le pot et laissez le vinaigre confire l'herbe aromatique pendant 15 jours. Filtrez votre vinaigre estragonné puis mettez-le en bouteilles.

Ajoutez dans chacune une menue branche d'estragon avant de boucher.

Made Guillermet glissait subrepticement dans le coffre de la voiture de Colette, sur le partir, une bouteille de son fameux vinaigre «estragonné» qui conférait aux salades et aux crudités un goût que l'écrivain appréciait vivement.

Crème froide à l'eau de roses

RECETTE DE BEAUTÉ

« L'art de battre la "crème froide" blanche comme neige, lisse, fleurant la cire pure et l'eau de roses, il y a trente ans que je le pratique. »

C. *IN VOGUE*, 1932.

Battez énergiquement et sans vous lasser 235 g de glycérine, chauffée au bain-marie, dans 130 g d'eau tiède. Ajoutez ensuite 20 g d'amidon en poudre et 100 g de stéarine fondue également au bain-marie. Mélangez à nouveau jusqu'à l'obtention d'une crème bien lisse.

Ajoutez à votre mélange encore chaud, 40 g de gélatine végétale ramollie à l'eau froide.

Pour finir, délayez un peu votre crème en la parfumant de 50 cl d'eau de roses.

Rangez votre crème refroidie dans des petits pots hermétiques.

CLAUDE CHAUVIÈRE DÉCRIT LA BOÎTE À MAQUILLAGE DE COLETTE COMME UN «ARSENAL» OÙ L'ÉCRIVAIN ENGRANGEAIT CRAYONS GRAS, BÂTON DE KHÔL, FOND DE TEINT ET CHIFFON POUR S'EN SERVIR BRUSQUEMENT AVEC «UNE DEXTÉRITÉ PLEINE D'EXPÉRIENCE». CACHÉE SOUS L'APPARENCE D'UNE ANODINE ÉDITION DES *PENSÉES* DE PASCAL, ELLE ÉTAIT TOUJOURS POSÉE SUR LE RADEAU À PORTÉE DE SA MAIN.

Recette pour les mésanges

Colette a même conçu une recette pour les oiseaux. Elle la confia au «Petit Page», Claude Guillermet, qui nous l'a, à son tour, racontée.

Coulez dans le fond d'un couvercle de la graisse ou un peu de saindoux réchauffé. Mélangez au gras amandes ou noisettes. Pendez le tout par trois ou quatre ficelles à la branche d'un arbre et... attendez les mésanges. Une autre recette consiste à enfiler des cacahuètes dans leur coque en collier et à le pendre à une branche d'arbre.

Êtes-vous pour, ou contre
la "second métier" de l'écrivain

Colette

5, rue de
Miromesnil

BIBLIOGRAPHIE

ŒUVRES DE COLETTE

Claudine à l'école, Paris, Ollendorff, 1900.

Claudine à Paris, Paris, Ollendorff, 1901.

Claudine en ménage, Paris, Mercure de France, 1902.

Claudine s'en va, Paris, Ollendorff, 1903.

Minne, Paris, Ollendorff, 1904.

Les Égarements de Minne, Paris, Ollendorff, 1905.

Dialogues de bêtes, Paris, Mercure de France, 1904.

Sept dialogues de bêtes, préface de Francis Jammes, Paris, Mercure de France, 1906.

« *Les Vrilles de la vigne* », *in le Mercure musical*, 15 juillet 1905. Texte sur les noces campagnardes non repris ensuite dans l'édition des *Vrilles de la vigne* en 1908.

La Retraite sentimentale, Paris, Mercure de France, 1907.

Les Vrilles de la vigne, Paris, Éditions de la Vie parisienne, 1908.

L'Ingénue libertine, Paris, Ollendorff, 1909.

La Vagabonde, Paris, Ollendorff, 1911.

L'Envers du music-hall, Paris, Flammarion, 1913.

L'Entrave, Paris, Librairie des Lettres, 1913.

Prrou, Poucette et quelques autres, Paris, Librairie des Lettres, 1913.

La Paix chez les bêtes, Paris, Arthème Fayard, 1916.

Les Heures longues, 1914-1917, Paris, Arthème Fayard, 1917.

Les Enfants dans les ruines, Paris, Éditions de la Maison du Livre, 1917.

Dans la foule, Paris, Georges Crès et Cie, 1918.

Mitsou ou Comment l'esprit vient aux filles, Paris, Arthème Fayard, 1918.

En camarades, Paris, Arthème Fayard, 1918.

La Chambre éclairée, Paris, Edouard Joseph, 1920.

Chéri, Paris, Arthème Fayard, 1920.

La Maison de Claudine, Paris, J. Ferenczi et fils, 1922.

Le Voyage égoïste, Paris, Éditions d'art Ed. Pelletan, 1922.

Le Blé en herbe, Paris, Flammarion, 1923.

Rêverie du nouvel an, Paris, Stock, 1923.

La Femme cachée, Paris, Flammarion, 1924.

Aventures quotidiennes, Paris, Flammarion, 1924.

Quatre saisons, Paris, Philippe Ortiz, 1925.

L'Enfant et les sortilèges, livret pour une musique de Maurice Ravel, Paris, Durand et Cie, 1925.

La Fin de Chéri, Paris, Flammarion, 1926.

La Naissance du jour, Paris, Flammarion, 1928.

Renée Vivien, Abbeville, F. Paillart, 1928.

La Seconde, Paris, J. Ferenczi et fils, 1929.

Sido, Paris, Éditions Krâ, 1929.

Histoires pour Bel-Gazou, Paris, Stock, 1930.

Douze dialogues de bêtes, Paris, Mercure de France, 1930.

Paradis terrestres, Lausanne, Gonin et Cie, 1932.

La Treille muscate, Paris, Aimé Jourde, 1932.

Prisons et paradis, Paris, J. Ferenczi et fils, 1932.

Ces plaisirs..., Paris, J. Ferenczi et fils, 1932.

La Chatte, Paris, B. Grasset, 1933.

Duo, Paris, J. Ferenczi et fils, 1934.

La Jumelle noire, Paris, J. Ferenczi et fils, 1934-1938.

Discours de réception à l'Académie royale de Belgique, Paris, B. Grasset, 1936.

Mes Apprentissages, Paris, J. Ferenczi et fils, 1936.

Chats, Paris, Jacques Nam, 1936.

Splendeurs des papillons, Paris, Plon, 1937.

Bella-Vista, Paris, J. Ferenczi et fils, 1937.

Le Toutounier, Paris, J. Ferenczi et fils, 1939.

Chambre d'hôtel, Paris, Arthème Fayard, 1940.

Mes Cahiers, Paris, Aux Armes de France, 1941.

Le Pur et l'impur, Paris, J. Ferenczi et fils, 1941. Nouveau titre de l'ouvrage préalablement appelé *Ces plaisirs*.

Journal à rebours, Paris, Arthème Fayard, 1941.

Julie de Carneilhan, Paris, Arthème Fayard, 1941.

De ma fenêtre, Paris, Aux Armes de France, 1942.

De la patte à l'aile, Paris, Corrêa, 1943.

Flore et Pomone, Paris, Éditions de la Galerie Charpentier, 1943.

Nudité, Bruxelles, Éditions de la Mappemonde, 1943.

Le Képi, Paris, Arthème Fayard, 1943.

Gigi, Lausanne, La Guilde du Livre, 1943.

Noces, Lausanne, La Guilde du Livre, 1943.

Broderie ancienne, Monaco, Éd. du Rocher, 1944.

Paris de ma fenêtre, Genève, Éd. du Milieu du Monde, 1944.

Trois..., Six..., Neuf..., Paris, Corrêa, 1944.

Belles Saisons, Paris, Édition de la Galerie Charpentier, 1945.

Une amitié inattendue. Correspondance de Colette et de Francis Jammes, introduction et notes de Robert Mallet, Éd. Émile-Paul frères, 1945.

L'Étoile Vesper, Genève, Éd. du Milieu du Monde, 1946.

Pour un herbier, Lausanne, Mermod, 1948.

Trait pour trait, Paris, Éd. Le Fleuron, 1949.

Journal intermittent, Paris, Éd. Le Fleuron, 1949.

Le Fanal bleu, Paris, J. Ferenczi et fils, 1949.

La Fleur de l'âge, Paris, Éd. Le Fleuron, 1949.

En pays connu, Paris, Éd. Manuel Bruker, 1949.

Chats de Colette, Paris, Albin Michel, 1949.

A portée de la main, Paris, Éd. Le Fleuron, 1949.

Mélanges, Paris, Éd. Le Fleuron, 1949.

Ces Dames anciennes, Éditions Estienne, 1954.

PLAQUETTES PUBLICITAIRES ET CONTRIBUTIONS DIVERSES

Le six à huit des vins de France, plaquette publicitaire réalisée pour les vins Nicolas, 1930.

À mon avis..., plaquette publicitaire pour sa propre ligne de produits de beauté, 1932.

En Bourgogne dans les vignes du Seigneur, plaquette éditée par la maison F. Chauvenet, Nuits-Saint-Georges, reprise dans *Vu*, numéro du 3 avril 1929.

L'eau de Perrier, plaquette publicitaire pour la maison Perrier.

Marie-Claire, numéros des 6 janvier 1939, 27 janvier 1939 et 24 mai 1940.

Vogue, de 1925 à 1932.

Almanach de Paris an 2000, présenté par le Cercle d'échanges artistiques internationaux, Gescofi, 1949.

ŒUVRES POSTHUMES

Paysages et portraits, Paris, Flammarion, 1958.

Lettres à Hélène Picard, Paris, Flammarion, 1958.
Lettres à Marguerite Moreno, Paris, Flammarion, 1959.
Lettres de la vagabonde, Paris, Flammarion, 1961.
Lettres au petit corsaire, préf. de Maurice Goudeket, Paris, Flammarion, 1963.
Contes des mille et un matins, Paris, Flammarion, 1970.
Lettres à ses pairs, Paris, Flammarion, 1972.
Lettres à Moune et au Toutounet, 1929-1954, Paris, Éditions des Femmes, texte établi et préfacé par Bernard Villaret, 1985.

ŒUVRES COMPLÈTES

Œuvres complètes, Éditions Le Fleuron, Paris, Flammarion, 1948-1950, 15 volumes.
Œuvres complètes, Genève, Éditions de Crémille, 1969.
Œuvres complètes de Colette, Club de l'Honnête Homme, 1973, 16 volumes.
Œuvres, Paris, Gallimard, Bibliothèque de la Pléiade, tome I, 1984, tome II, 1986, tomes III et IV (à paraître).
Colette, Paris, Laffont, collection « Bouquins », 1989, 3 tomes.

AUTRES OUVRAGES CONSULTÉS

Almanach du Beaujolais, Éditions du Cuvier-Jean Guillermet, 1935 et 1946.
Beaumont (Germaine) et Parinaud (André), *Colette par elle-même*, collection « Écrivains de toujours », Seuil, 1951.
Billy (André), *Intimités littéraires*, Paris, Flammarion, 1932.
Cahiers Colette, Société des Amis de Colette.
Le Capitole, magazine politique et littéraire, numéros consacrés à Colette, mai 1923 et décembre 1924.
Caradec (François), *Feu Willy, « avec et sans Colette »*, J.-J. Pauvert aux Éditions Carrère, 1984.
Carco (Francis), *Colette, mon ami*, Éditions Rive-Gauche, 1955.
Catalogue exposition Colette, Bibliothèque nationale, 1973.
Charensol (Georges), *D'une rive à l'autre*, Mercure de France, 1973.
Chauvière (Claude), *Colette*, Firmin-Didot, 1931.
Colleaux-Chaurang (Marie-Thérèse), *Étude critique de la correspondance de Colette avec les petites fermières*, thèse de doctorat d'Université dirigée par Michel Mercier, Université de Nantes, 1986.

Dunoyer de Segonzac (André), article à l'occasion du 80e anniversaire de Colette in *Le Figaro littéraire*, 26 janvier 1953.
Revue *Europe*, Spécial Colette, nos 631-632, novembre-décembre 1981.
Goudeket (Maurice), *La Douceur de vieillir*, Flammarion, 1965.
Goudeket (Maurice), *Près de Colette*, Flammarion, 1956.
Jourdan-Morhange (Hélène), « La regarder vivre était plus beau que tout » in *Les Lettres françaises*, 12-19 août 1954, n° 529.
Malige (Jeannie), *Colette qui êtes-vous ?* Lyon, Éditions de la Manufacture, 1987.
Martin du Gard (Maurice), *Les Mémorables*, Flammarion, tome I, 1960.
Millet-Robinet (Mme), *La Maison rustique des dames*, Paris, Librairie agricole de La Maison Rustique, 1844-1845, 2 volumes.
Moreno (Marguerite), *Souvenirs de ma vie*, Paris, Éditions de Flore, 1948.
Mugnier (abbé), *Journal*, Paris, Mercure de France, 1985.
Oliver (Raymond), *Cuisine pour mes amis*, Paris, Albin Michel, 1976.
Oliver (Raymond), *Adieu fourneaux*, Paris, Laffont, 1984.
Willy (Gauthier-Villars, Henri dit), « Les pit-pits » in « Le Livre d'or de la cuisine française », supplément « Les Annales », *Le Temps*, novembre 1912.

REMERCIEMENTS

Un livre comme celui-ci ne se bâtit pas sans quelques complicités.
La recherche d'un document, la reconstitution d'une atmosphère relèvent surtout d'une opiniâtre obstination qui tient de l'investigation policière. Tour à tour, les personnes citées ci-après ont joué un rôle plus ou moins important et, sans elles, nous n'aurions pas pu décrire avec autant de précision l'art de la gourmandise chez Colette. Nous désirons leur exprimer ici notre vive reconnaissance ainsi que nos sincères remerciements pour nous avoir suivi et encouragé dans cette aventure.
Nous les citons par ordre alphabétique.

Mme et M. BAUDON de la Librairie Gourmande, 4 rue Dante, à Paris (5e) ; Mme Madeleine BLONDEL, conservateur du Musée de la vie bourguignonne « Perrin de Puycousin » à Dijon ; Mme et M. BOUQUIN qui ont eu la patience de nous relire ; M. Roger BAYLE, pour son érudition sur l'histoire de la pâtisserie ; M. Pierre de BOURGOING ; Mme CABANIS qui nous a reçu à « Rozven » ; M. CHEVROLLIER, herboriste ; Mme Marie-Thérèse COLLEAUX-CHAURANG qui nous a prêté sa thèse sur « les petites fermières » ; M. Martin du DAFFOY du Louvre des Antiquaires ; Mme Jacqueline DUBOIS ; Mme Nicole FERRIER, présidente de la Société des Amis de Colette ; M. Robert FOUQUES DUPARC ; M. Bertrand de GASTINES ; M. Jacques GRANGE ; M. GEORGES, maire de St-Sauveur ; Mme et M. Claude GUILLERMET qui nous ont fait partager avec passion leurs souvenirs sur Colette ; Mme Françoise HEFTLER-LOUICHE ; Mme Geneviève LAURENCIER ; Mme LAUTH qui nous a aimablement ouvert les portes de « La Treille Muscate » ; Dame LELOUP et sa famille ; M. J.-L. LECARD qui nous a prêté avec enthousiasme des objets ayant appartenu à Colette ; Mme LE PAVEC, responsable du fonds Colette à la Bibliothèque Nationale ; Mme Jeannie MALIGE ; Mme MIGNOT-OGLIASTRI ; M. le Docteur MUESSER ; Mme et M. Yves MUESSER qui nous ont reçu à plusieurs reprises avec beaucoup de chaleur dans la maison natale de Colette à St-Sauveur ; M. Yvette OLIVER-ROBERT ; M. Raymond OLIVER ; Mlles Stéphane et Sophie OLIVER ; M. Dominique PARAMYTHIOTIS du Palais-Royal ; Mme et M. Albert PARVEAUX du Relais et Château de Castel-Novel à Varetz ; M. Jean-Claude SALADIN de l'Arcade Colette ; Mme E. SAUREL ; Mme Jacqueline SAULNIER qui a participé au stylisme culinaire ; Mme SCHILDGE ; Mme et M. Pierre SIMON qui nous ont si gentiment hébergé à St-Sauveur ; Mme Anne de TUGNY ; M. René VRIGNAUD.

Et surtout... Mme Marguerite BOIVIN, secrétaire de la Société des Amis de Colette, M. Foulques de JOUVENEL et Mme Pauline TISSANDIER, qui nous ont accordé ce qui, à notre cœur, était le plus précieux, leur confiance.

Jacqueline SAULNIER, qui a eu la gentillesse de mettre à profit sa grande expérience du stylisme culinaire pour enrichir et perfectionner la présentation des recettes, mérite nos remerciements particuliers.

Vous retrouverez la plupart des objets personnels de Colette photographiés ici au Musée Colette à Saint-Sauveur-en-Puisaye (Yonne) dont l'ouverture est prévue pour 1991.

Pour les autres objets présents sur ces photos, nous remercions : La Galerie ALCANTARA du Louvre des Antiquaires (dominos et jeu de jacquet, p. 18-19 et p. 177) ; « Au fond de la cour » (table en rotin et chaises, p. 18-19) ; « Aux fils du temps » (châle, p. 18-19) ; « Beppy » du marché Biron (plat, p. 121) ; BINET antiquités à St-Tropez (chaises, p. 136) ; Madeleine BLONDEL (cœurs en paille, p. 156-157) ; Marguerite BOIVIN de St-Sauveur (pendule et parure de cheminée, p. 177) ; les établissements CARRÉ (carrelage bleu, p. 130) ; Martin du DAFFOY du Louvre des Antiquaires (couverts p. 68, p. 136, p. 177) ; Pierre Frey (nappe, p. 68) ; Mme GEORGES, St-Sauveur (carafe et verres Baccarat, p. 177) ; Marion HELD JAVAL (plateau, assiette et verres, p. 73) ; M. FOULQUES de JOUVENEL (argenterie et nappe, p. 56) ; LAWYRENS et Cie (armoire à confitures, p. 186) ; la Manufacture du Palais-Royal, galerie de Valois (assiettes bleues, p. 68) ; le Musée de la vie bourguignonne « Perrin de Puycousin » à Dijon (grès, p. 33 et p. 156-157) ; Dominique PARAMYTHIOTIS du Palais-Royal (assiettes barbeaux, p. 56 - verrerie, p. 69 - compotier, p. 177) ; Pierre-Jean PÉBEYRE de Cahors (truffes, p. 109) ; la Cristallerie Portieux (verres, p. 136-137) ; la Galerie SAINT-SÉVERIN (boîtes à épices, p. 186) ; Christian TORTU (bouquets de roses en choux-pommes, p. 22) et « La vie de Château », Palais-Royal (assiette Rubelles, p. 180).

ILLUSTRATIONS ET CRÉDITS PHOTOGRAPHIQUES

TABLE DES MATIÈRES

Responsable d'édition : Isabelle Dubois

Typographie : Charente-Photogravure à Angoulême

 Imprimé par Campin à Tournai
Achevé d'imprimer : août 1993
N° d'édition : 10637
Dépôt légal de la première édition : octobre 1990
Dépôt légal de la réimpression : septembre 1993
ISBN 2-226-04898-7